JN041072

Coffee Time
Discovery

コーヒー1杯分の
時間で読む

「教養」
世界史

WORLD HISTORY

市川賢司

監修

Gakken

本 書 の 特 長

POINT 1

コーヒーとともに愉しむ, 大人の勉強時間に。 コンパクトに学べる, 教養シリーズ。

　本シリーズは，カフェや家でくつろぎながら読める やさしい教科書として，コンパクトに内容をまとめた 教養シリーズです。各テーマのタイトルや見出しを追っ ていくだけでも，短時間で一気に全体像をつかむこと ができ，忙しい中で気軽に教養を深めたい人にもぴっ たりの1冊です。

POINT 2

こんな人にもおすすめ!

☑ ちょっとした時間に, 新しいことを学びたい。

☑ 知らないと恥ずかしい, 歴史の内容を知っておきたい。

☑ 歴史の全体像を, 一気に俯瞰したい。

☑ 教養を深めて, 会話の引き出しを増やしたい。

POINT 3

[流れ]＋[図解]で,
各時代の要点がサクッとわかる!

左ページでは, 時代の流れをストーリーで
学びます。1テーマ1見開き完結なので,
コンパクトに理解することができます。

右ページでは, 地図や表, イラストなど,
理解を助けるビジュアル関連の情報を
まとめています。

POINT 4

各章末の確認問題で,
常識レベルの知識をチェック!

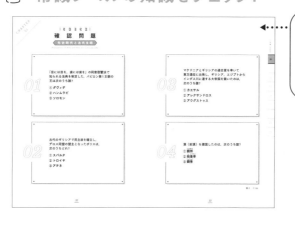

章の終わりには, 3
択クイズ形式の確
認問題のコーナー
があります。ぜひ挑
戦してみてください。

3

CONTENTS

CHAPTER 01

先史時代と古代文明

CHAPTER 02

東アジア世界の歴史

CHAPTER
06

19世紀のヨーロッパとアメリカ

CHAPTER
07

帝国主義と民族運動

01

Prehistoric Times and Ancient Civilizations

先史時代と古代文明

| 7000000 | 10000 | B.C. 0 A.D. | 500 | 1000 | 1500 | 2000 |

"人類の歴史の幕開けである，先史時代。
人類は狩猟や採集を行いながら生活し，
農業の発展によって定住生活が始まった。
また，エジプト，メソポタミア，インダス，黄河の流域などでは，
それぞれ独自の文化と伝統が根付いていた。
この章では，先史時代から古代文明にかけての
世界史の基盤となる出来事や文化を概観し，
人類の歴史の始まりを学んでいく。
コーヒーを片手に，時空を超えた旅に出かけよう。"

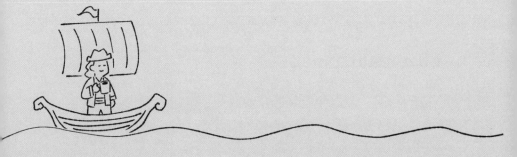

CHAPTER 01
Prehistoric Times
and Ancient
Civilizations

THEME
01

Coffee Time
Discovery
WORLD HISTORY

人類はアフリカから誕生した!

人類はどうやって誕生した?

　人類が類人猿から枝分かれしたのは約700万年前であったとされる。アフリカの森林で生活していた人類の祖先は，地上に降り立って直立二足歩行や道具の使用といった人類の特徴を獲得した。それからいくつもの人類種が誕生し，分岐や絶滅をくり返しながら，より進化した人類が出現してきた。

現生人類が生まれるまで

　最も古い人類は，約700万年前にアフリカ大陸で誕生した猿人である。化石人類として発見された代表的な猿人が**アウストラロピテクス**で，直立二足歩行を行い，簡単な道具を使用していたとされる。

　猿人の一部が進化して生まれたのが原人（約240万〜10万年前）で，アフリカから出てヨーロッパやアジアまで広がっていった。よく知られているのが**ジャワ原人**や**北京原人**である。原人は**火の使用**を開始しており，**言語**を獲得するほど進化していたともいわれるが，やがて絶滅した。

　原人に代わって出現したのが旧人（約60万〜3万年前）である。その一種であるネアンデルタール人は，毛皮で衣服を作り，死者を埋葬していた。

　そして，旧人と共通の祖先から枝分かれし，最後に生き残ったのが**新人**（約20万年前以降），つまりは現生人類である。新人段階の化石人類である**クロマニョン人**は，洞窟に優れた彩色壁画を残していることで知られる。

文明の始まりはいつ?

　猿人から新人に至るまで，**打製石器**の使用や狩猟・採集が行われていた時代を**旧石器時代**という。その後，約1万年前に氷期が終わり，**磨製石器**の使用や農耕・牧畜が行われる**新石器時代**に入る。ここから人類は食糧生産のために定住し，集落を発展させ，文明を形成していく。

人類の出現～文明の発生

| 7000000 | 10000 | B.C. 0 A.D. | 500 | 1000 | 1500 | 2000 |

🌐 人類の進化

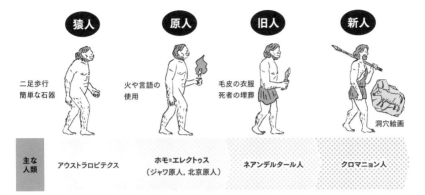

| 主な 人類 | アウストラロピテクス | ホモ=エレクトゥス （ジャワ原人, 北京原人） | ネアンデルタール人 | クロマニョン人 |

🌐 人類の出現MAP

THEME 01 **POINT**

- 人類は約700万年前にアフリカで誕生したとされる。
- 猿人，原人，旧人の後に，現生人類の新人が登場した。
- 打製石器を使用し，狩猟・採集を行っていた時代を旧石器時代という。

CHAPTER 01
Prehistoric Times
and Ancient
Civilizations

THEME
02

Coffee Time
Discovery
WORLD HISTORY

メソポタミアで誕生した最古の文明

古代文明が東の地オリエントで誕生した!

オリエントはラテン語のoriensに由来する。これは「日が昇るところ」つまり古代ローマから見た東方を意味し，メソポタミアとエジプトおよびその周辺地域を指す （現在の中東地域）。雨が少なく高温で，砂漠・草原・岩山が多い。そのため，羊やラクダの遊牧と自然の雨水に頼る乾地農業が行われた。前3000年頃からは，**ティグリス川・ユーフラテス川**流域や**ナイル川**流域で灌漑農業が営まれ，高度な文明が発達した。

最古の文明はどんなものだった?

メソポタミアとは，「川の間の土地」という意味で，ティグリス川とユーフラテス川の流域地方のことである。ほぼ現在のイラクにあたる。

前3000年頃，メソポタミア南部にウル，ウルクなどの都市国家を形成したのが民族系統不明の**シュメール人**である。そこでは王が神の名のもとに統治する**神権政治**が行われていた。シュメール人は最古の文字の一つである**楔形文字**を発明し，60進法にもとづく時間や角度の観念，一週七日制，太陰暦などを採用。現代にもつながる知識，技術，文化を発達させた。

メソポタミアの統一，そして栄枯盛衰

シュメール人のウル第3王朝が滅亡し，前19世紀以降，この地域を支配したのがセム語系遊牧民の**アムル人**である。彼らはバビロン第1王朝を建国し，第6代の王**ハンムラビ**が全メソポタミアを統一。「目には目を，歯には歯を」の同害復讐法で知られる『**ハンムラビ法典**』が制定されたが，これはシュメールの法を継承したものであった。この王朝は300年近く続いたが，鉄製武器の使用で強大化した**ヒッタイト**に滅ぼされた。そのヒッタイトも民族系統不明の「海の民」に滅ぼされ，栄枯盛衰が繰り返されていく。

古代オリエント

| 7000000 | 10000 | B.C. 0 A.D. | 500 | 1000 | 1500 | 2000 |

古代オリエントMAP

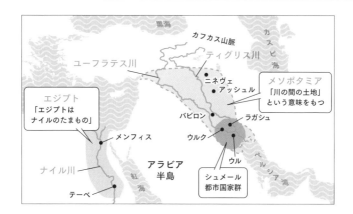

黒海
カフカス山脈
カスピ海
ティグリス川
ユーフラテス川
ニネヴェ
アッシュル
メソポタミア
「川の間の土地」という意味をもつ
エジプト
「エジプトはナイルのたまもの」
バビロン
ラガシュ
メンフィス
ウルク
ウル
ナイル川
紅海
アラビア半島
ペルシア湾
シュメール都市国家群
テーベ

メソポタミア文明

最古の文字の一つである、楔形文字

「目には目を, 歯には歯を」で知られる『ハンムラビ法典』

THEME 02 **POINT**

- 前3000年頃, メソポタミア南部にシュメール人が都市国家を形成した。

- シュメール人は最古の文字の一つである楔形文字を使用した。

- バビロン第1王朝のハンムラビ王は『ハンムラビ法典』を制定した。

Chapter
01
02
03
04
05
06
07
08
09

CHAPTER 01
Prehistoric Times
and Ancient
Civilizations

THEME
03

Coffee Time
Discovery

WORLD HISTORY

オリエント世界を支配した大帝国

「エジプトはナイルのたまもの」

ナイル川は毎年定期的な氾濫を起こし，水が引いたあとの耕地に肥沃な土を残す。これを利用した灌漑農耕によって，エジプトの文明は発達した。

やがて多数の村落が統合されて国が生まれ，前3000年頃には統一国家が誕生した。その王は**ファラオ**と呼ばれ，神として人々を支配した。古王国時代（前27〜前22世紀）には，**クフ王**などの三大**ピラミッド**が**ギザ**に建造される。中王国時代（前21〜前18世紀）に遊牧民**ヒクソス**の侵入によって一時混乱したが，新王国時代（前16〜前11世紀）には大規模な外国遠征を行い，トトメス3世の時代にエジプトの領土は最大になった。

古代地中海から現代につながる文化・宗教

地中海東岸では，前13世紀頃から**アラム人**が内陸貿易によって繁栄していた。一方，地中海の海上交易で活躍したのが**フェニキア人**で，彼らが作った**フェニキア文字**はギリシアに伝わってアルファベットの起源となった。

地中海東岸南部地域はパレスチナと呼ばれ，そこに定住したのが**ヘブライ人**である。前11世紀頃に**イスラエル王国**を建国し，**イェルサレム**を都にした第2代**ダヴィデ王**，第3代**ソロモン王**の時に栄えたが，その後分裂し滅亡。長く苦難の道を歩む彼らは，のちに**ユダヤ教**を確立することになる。

ついに統一されたオリエントは大帝国へ

古代オリエント世界を最初に統一したのは**アッシリア**王国であった。この国は鉄器で武装した強大な軍事国家であったが，世界最古の図書館を建設するなど，文化の保護も行っている。その滅亡後は複数国家の分立時代を経て，イラン人（ペルシア人）の**アケメネス朝**が前525年にエジプトを征服。オリエントを統一し，東はインダス川，西はエーゲ海に至る大帝国となった。

エジプト文明

王はファラオと呼ばれ、神として支配

ファラオの墓であるピラミッドが建設された

古代オリエント

エジプト	アナトリア高原	メソポタミア
		▶シュメール人の都市国家
▶古王国		▶アッカド人がメソポタミアを統一
ピラミッドの建設	鉄製武器を使用	▶バビロン第1王朝
↓	▶ヒッタイト	第6代ハンムラビ王のハンムラビ法典
▶中王国 アジア系民族ヒクソスの支配		▶ヒッタイトにより滅亡
↓ ▶新王国		

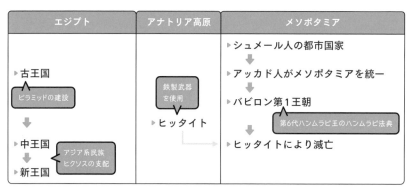

地中海東岸		
ヘブライ人	アラム人	フェニキア人
パレスチナにイスラエル王国を建国	内陸交易で活躍	海上交易で活躍 フェニキア文字はアルファベットの起源

THEME 03 **POINT**

- ∅ エジプトでは古王国時代に，クフ王などの三大ピラミッドが建造された。
- ∅ フェニキア人が作ったフェニキア文字は，アルファベットのもとになった。
- ∅ アケメネス朝はオリエントを統一し，大帝国を築いた。

CHAPTER 01
Prehistoric Times
and Ancient
Civilizations

THEME
04

Coffee Time
Discovery
WORLD HISTORY

ヨーロッパの歴史はここから始まった

ギリシア世界で興った文明の形跡

　オリエントの影響を受け，前3000年頃〜前1200年頃のエーゲ海周辺に成立したのが**エーゲ文明**である。そのなかで，クレタ島を中心に栄えた平和的な**クレタ文明**は，石造の豪華なクノッソス宮殿が有名である。一方，**ミケーネ文明**は戦闘的で，巨石で築かれた城塞が発見されている。また，小アジアではトロイア戦争やトロイの木馬の伝説で知られる**トロイア文明**が栄えた。

　ミケーネ文明の滅亡後，ギリシア世界は約400年にわたって混乱の時代が続いた。この時代は残された史料が乏しいため，「暗黒時代」と呼ばれている。

民主政治を生み出した都市国家アテネ

　前8世紀，ギリシアでは**ポリス**と呼ばれる都市国家が1000以上も分立し，抗争状態にあった。一方で，ギリシア人はともにデルフォイのアポロン神殿の神託を尊重し，**オリンピア**の競技会に参加するなど，同胞意識を持っていた。ポリスの多くは市民と奴隷からなり，市民は貴族と平民に区分された。

　有力な都市国家であった**アテネ**では，王政から貴族政に移行していた。やがて，裕福になった平民が参政権を要求して貴族と対立。その後，僭主と呼ばれる独裁者が平民の支持を得て非合法に政権を奪い，**僭主政治**を行うようになった。そこで，僭主になるおそれのある人物を投票により国外追放する**陶片追放**という制度が設けられ，のちの民主政治の基礎が築かれていった。

オリエントの大帝国との間で戦争が勃発

　エーゲ海の東側では，アケメネス朝ペルシアの支配に対してイオニア植民市の反乱が起きた。アテネがこれを支援したため，アケメネス朝はギリシアに侵攻し，**ペルシア戦争**が勃発した。前490年にアテネ軍が**マラトンの戦い**でペルシア軍を破り，一連の戦いを経てギリシア側が勝利した。

🌐 パルテノン神殿

アテネのアクロポリス（ポリスの中心部にある丘）に建設されたアテナ女神の神殿

正面はユネスコのシンボルマークになっている

🌐 ペルシア戦争MAP

アケメネス朝ペルシア

テーベ

前490
マラトンの戦い

オリンピア

アテネ

スパルタ

イオニア植民市の反乱地域

■ ギリシアの反ペルシア同盟
□ ギリシアの中立地帯
▦ ペルシア領

THEME 04　**POINT**

- *エーゲ海では，クレタ文明やミケーネ文明などのエーゲ文明が栄えた。*

- *ギリシアでは，アテネなどのポリス（都市国家）が栄えた。*

- *アテネを中心とするギリシア軍は，ペルシア戦争でアケメネス朝を破った。*

CHAPTER 01

Prehistoric Times
and Ancient
Civilizations

THEME

05

Coffee Time
Discovery

WORLD HISTORY

ギリシア世界と
アレクサンドロスの東方遠征

ギリシアの盟主アテネの凋落

　ギリシアでは，ペルシアの再侵攻にそなえるため，アテネを盟主に**デロス同盟**が結成された。アテネ国内では，ペルシア戦争で軍艦の漕ぎ手として活躍した無産市民も参政権を得て，18歳以上の成年男性市民全員が参加する民会が政治の最高機関となる。ここにギリシア民主政が完成した。

　ところが前5世紀後半，アテネを中心とするデロス同盟と軍事国家スパルタを中心とする**ペロポネソス同盟**が対立し，**ペロポネソス戦争**が発生。アテネは疫病の流行で弱体化し，スパルタに敗北した。さらには，煽動政治家であるデマゴーゴスのもとで**衆愚政治**に陥り，民主政も堕落してしまう。

　一時はギリシア世界の主導権を握ったスパルタに代わり，前4世紀にはテーベが勢力を拡大する。しかし，抗争が続いて農地は荒れ，人口も減少。市民意識は薄れ，ポリス社会そのものが衰退していく。

東西の世界をつないだ若き英雄アレクサンドロス

　衰えていくギリシアのポリスとは対照的に，北方の王国**マケドニア**は発展を遂げる。マケドニア王**フィリッポス2世**は前338年にアテネ・テーベ連合軍を破り，ギリシアのほぼ全域を支配した。フィリッポス2世が暗殺されると，その子である**アレクサンドロス大王**が20歳で即位する。彼の家庭教師を務めたのは，「万学の祖」とも称された哲学者**アリストテレス**であった。

　前334年，大王はマケドニアとギリシアの連合軍を率いて**東方遠征**に出発する。アケメネス朝を滅ぼし，ギリシア，エジプトからインダス川に達する大帝国を築いた。その結果，ギリシア文化が東方に伝わり，オリエント文化と融合した**ヘレニズム文化**が成立する。ところが，大王の急死によって後継者争いから戦争が起こり，帝国は3国に分裂した。大王の東方遠征から始まり，これら3国が滅亡するまでの約300年間を**ヘレニズム時代**と呼ぶ。

```
7000000    10000    B.C. 0 A.D.    500    1000    1500    2000
```

 ## ギリシアの文化

宗教		多神教…ゼウスを主神とするオリンポス12神
文学	叙事詩	ホメロス…『イリアス』『オデュッセイア』
	叙情詩	サッフォー…女性詩人
	悲　劇	アイスキュロス，ソフォクレス，エウリピデス…三大悲劇詩人
	喜　劇	アリストファネス…『女の平和』『女の議会』
哲学		タレス…万物の根源は水
		ソクラテス…客観的真理の存在を主張。「無知の知」
		プラトン…イデア論
		アリストテレス…「万学の祖」
医学		ヒッポクラテス…「西洋医学の祖」
歴史		ヘロドトス…『歴史』ペルシア戦争を主題
		トゥキディデス…『歴史』ペロポネソス戦争を主題

 ## アレクサンドロス大王の帝国の領域MAP

アレクサンドロス大王は，東方遠征を行い，大帝国を築いた

THEME 05 **POINT**

- ◎ デマゴーゴスによる衆愚政治に陥ったアテネでは，民主政が堕落した。
- ◎ マケドニアのアレクサンドロス大王は東方遠征を行い，大帝国を築いた。
- ◎ ギリシア文化とオリエント文化が融合し，ヘレニズム文化が成立した。

CHAPTER 01

Prehistoric Times
and Ancient
Civilizations

THEME
06

Coffee Time
Discovery

WORLD HISTORY

共和政都市国家・ローマの誕生

古代ローマの国づくり

　前8世紀，**ラテン人**がイタリア半島中部のティベル河畔（かはん）に都市国家を建設した。これが**ローマ**である。ローマ人はイタリア半島の先住民であるエトルリア人に支配されていたが，前509年に王を追放して共和政となった。

　初期の共和政では，貴族が最高公職者や最高諮問（しもん）機関である**元老院**（げんろういん）の議員などを独占していた。しかし，中小農民中心の平民が政治参加を求めて身分闘争を起こした。結果的に，平民は貴族と同等の政治的権利を獲得する。

イタリア半島を統一し，カルタゴに戦いを挑む

　前3世紀前半，ローマは南方のギリシア植民市を征服して全イタリア半島を統一した。その後，地中海支配をめぐって，フェニキア人の植民市**カルタゴ**と3回にわたって**ポエニ戦争**（前264〜前146年）が生じる。第2回ポエニ戦争では，カルタゴの将軍**ハンニバル**が象を率いてアルプス山脈を越え，イタリアに侵入。一時はローマが危機に陥った。しかし，第3回ポエニ戦争でローマが最終的に勝利し，地中海西部をほぼ統一した。

戦争後のローマは「内乱の1世紀」へ

　ローマはイタリア半島外にも属州を広げた。ところが，戦争を支えた中小農民たちが長期の従軍や耕地の荒廃により没落するなど，社会は変動する。

　その後の改革は失敗に終わり，前60年からは実力者のポンペイウス・**カエサル・クラッスス**が盟約を結び，政権を握った。**第1回三頭政治**である。このうち，**ガリア遠征**で名をあげたカエサルが独裁政治を行ったが，暗殺された。そして，**オクタウィアヌス**・アントニウス・レピドゥスによって**第2回三頭政治**が行われる。前31年，オクタウィアヌスはエジプト女王の**クレオパトラ**と結んだアントニウスを破り，「内乱の1世紀」は終わりを告げた。

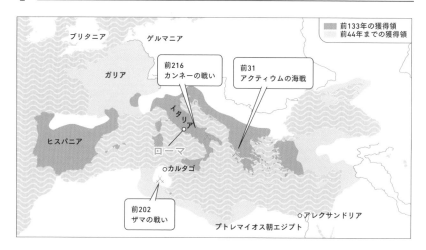

共和政ローマ

7000000　10000　B.C. 0 A.D.　500　1000　1500　2000

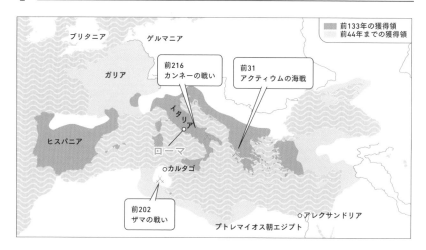

共和政ローマの領土MAP

前133年の獲得領
前44年までの獲得領

ブリタニア　ゲルマニア

ガリア

前216
カンネーの戦い

前31
アクティウムの海戦

イタリア

ローマ

ヒスパニア

○カルタゴ

前202
ザマの戦い

○アレクサンドリア

プトレマイオス朝エジプト

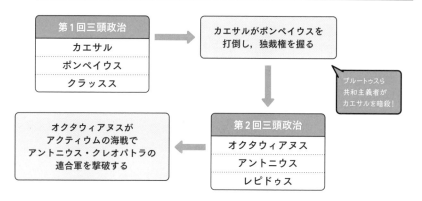

第1回三頭政治・第2回三頭政治

第1回三頭政治
カエサル
ポンペイウス
クラッスス

→ カエサルがポンペイウスを
打倒し，独裁権を握る

ブルートゥスら
共和主義者が
カエサルを暗殺！

オクタウィアヌスが
アクティウムの海戦で
アントニウス・クレオパトラの
連合軍を撃破する

第2回三頭政治
オクタウィアヌス
アントニウス
レピドゥス

THEME 06 **POINT**

◯ 紀元前6世紀末にローマはエトルリア人の王を追放し，共和政となった。

◯ ローマはカルタゴとのポエニ戦争に勝利し，地中海西部をほぼ統一した。

◯ ガリア遠征で名をあげたカエサルは独裁政治を行ったが，暗殺された。

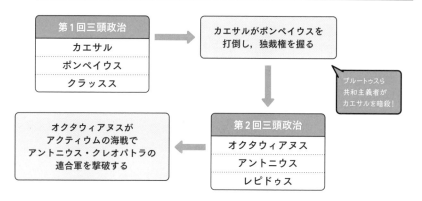

CHAPTER 01

Prehistoric Times
and Ancient
Civilizations

THEME

07

0
Coffee Time
Discovery

WORLD HISTORY

キリスト教はどうやって広まった？

🍵 帝国となったローマは東西に分裂

　前27年，オクタウィアヌスは元老院から**アウグストゥス**（尊厳者）の称号を与えられ，事実上の**帝政**が始まる。ここにローマ帝国が成立した。

　帝政成立から5人の皇帝による五賢帝時代（96〜180年）までの約200年間はローマ帝国の最盛期であり，「**パクス゠ロマーナ**（ローマの平和）」と呼ばれた。トラヤヌス帝の時代にローマ帝国の領土は最大になり，現在のロンドン・パリ・ウィーンなどにあたる都市が建設された。

　その後，各地の属州が独自に皇帝を擁立して争う軍人皇帝時代に入るが，3世紀後半に**ディオクレティアヌス帝**が専制君主政を開始し，混乱を収拾する。395年になると**テオドシウス帝**は死に際してローマ帝国を東西に分割し，自らの息子2人に分け与えた。こうしてローマ帝国は西と東に分裂した。

🍵 ローマ帝国の国教になったキリスト教

　ヨーロッパの歴史において，**キリスト教**は極めて重要な位置を占めている。そのキリスト教の地位が確立したのは，ローマ帝国においてである。

　キリスト教の成立以前，ローマの属州であったパレスチナでは，ヘブライ人がユダヤ教を信仰していた。前4年頃，この地方に生まれた**イエス**は，ユダヤ教の形式主義的なパリサイ派を批判して，キリスト教を創始した。イエスが処刑されたあとは，**ペテロ**や**パウロ**らの使徒がローマ帝国各地にキリスト教を布教していった。

　ローマ帝国ではキリスト教徒が皇帝崇拝を拒否し，繰り返し迫害を受けて多くの殉教者を出した。それにもかかわらず，キリスト教は帝国内に広がっていく。そこで，帝国支配の安定のため，**コンスタンティヌス帝**が313年の**ミラノ勅令**でキリスト教を公認した。392年には，テオドシウス帝がアタナシウス派のキリスト教を国教とし，他の宗教を禁止するに至る。

📍 帝政ローマとキリスト教

| 7000000 | 10000 | B.C. 0 A.D. | 500 | 1000 | 1500 | 2000 |

✏ キリスト教の成立

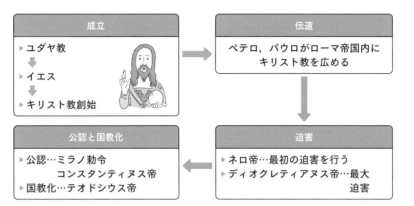

成立
▶ユダヤ教
▶イエス
▶キリスト教創始

伝道
ペテロ，パウロがローマ帝国内に キリスト教を広める

迫害
▶ネロ帝…最初の迫害を行う
▶ディオクレティアヌス帝…最大 迫害

公認と国教化
▶公認…ミラノ勅令 　　　　コンスタンティヌス帝
▶国教化…テオドシウス帝

✏ ローマ文化

公用語	ラテン語
文学	ラテン文学…ウェルギリウス『アエネイス』
哲学・思想	セネカ『幸福論』 ◀ ストア派
	キケロ『国家論』
	マルクス=アウレリウス=アントニヌス帝『自省録』
歴史	カエサル『ガリア戦記』
	タキトゥス『ゲルマニア』 当時のゲルマン人に関する重要史料
自然科学	プトレマイオス『天文学大全』…地球中心の天動説

THEME 07 POINT

- アウグストゥスによって，事実上のローマの帝政が始まった。
- 帝政開始から五賢帝時代の約200年間を「パクス=ロマーナ」という。
- コンスタンティヌス帝によって，キリスト教が公認された。

CHAPTER 01
Prehistoric Times
and Ancient
Civilizations

THEME
08

Coffee Time
Discovery
WORLD HISTORY

世界5大宗教の2つを 生み出したインド

🏺 古代文明から異民族による新たな社会へ

　前2600年頃，インダス川流域に**インダス文明**が興った。代表的な遺跡として，下流域の**モエンジョ=ダーロ**や中流域の**ハラッパー**などがある。

　前1500年頃には，中央アジアから移動した遊牧民アーリヤ人がパンジャーブ地方に侵入した。彼らはあらゆる自然現象に神が宿ると考え，それらを「**ヴェーダ**」と呼ばれる賛歌集にまとめた。その後，ガンジス川流域へ進出し，先住民を征服。この頃，バラモン（司祭），クシャトリヤ（戦士・貴族），ヴァイシャ（庶民），シュードラ（隷属民）の4つの身分からなる**ヴァルナ制**が成立した。これが職業などの身分制度と結びつき，**カースト制度**となる。

　この頃，「ヴェーダ」を根本聖典として**バラモン教**が誕生する。しかし，形式主義に陥ったバラモン教への不満が高まり，前5世紀頃には**ガウタマ=シッダールタ**が**仏教**を開いた。のちの時代に仏教教団が分裂し，**大乗仏教**へと理論化されたものが中国・朝鮮・日本に伝来することになる。

🏺 統一王朝とインド最大の宗教の成立

　前6世紀頃，北インドではいくつもの国々が対立していた。やがて有力になったマガダ国は，ガンジス川流域を統一。しかし，アレクサンドロス大王が西北インドに侵攻すると，その後の混乱に乗じてチャンドラグプタがマガダ国のナンダ朝を倒し，**マウリヤ朝**を開いた。第3代**アショーカ王**はインド南端を除くインドを統一し，最盛期を迎える。

　マウリヤ朝の衰退後は，**クシャーナ朝**の時代を経て，4世紀に**グプタ朝**が興る。グプタ朝は北インドを統一し，第3代の王**チャンドラグプタ2世**のときに最大領土となる。この頃，バラモン教と民間信仰が融合し，**ヒンドゥー教**がインド社会に定着した。この宗教は，破壊神シヴァ，維持神ヴィシュヌ，創造神ブラフマーなど多くの神々を信仰する多神教である。

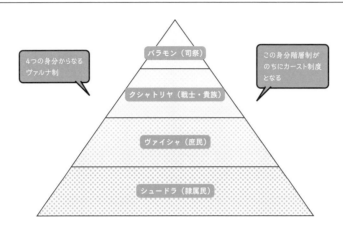

古代インドのヴァルナ制

4つの身分からなる
ヴァルナ制

この身分階層制が
のちにカースト制度
となる

バラモン（司祭）

クシャトリヤ（戦士・貴族）

ヴァイシャ（庶民）

シュードラ（隷属民）

 ## グプタ朝MAP

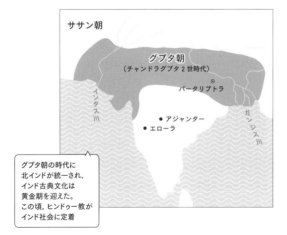

グプタ朝の時代に
北インドが統一され,
インド古典文化は
黄金期を迎えた。
この頃, ヒンドゥー教が
インド社会に定着

THEME 08 **POINT**

● モエンジョ゠ダーロとハラッパーはインダス文明を代表する遺跡である。

● 前5世紀頃, ガウタマ゠シッダールタが仏教を開いた。

● バラモン教と民間信仰が融合して, ヒンドゥー教が生まれた。

CHAPTER 01
Prehistoric Times
and Ancient
Civilizations

THEME
09

Coffee Time
Discovery
WORLD HISTORY

かつての繁栄を伝える 文明の遺跡たち

インドとシナ（中国）の文化が交錯するインドシナ半島

前3世紀頃からベトナム北部を中心に発展したのが**ドンソン文化**である。ベトナム北部は秦の始皇帝や前漢の武帝の時代に中国の支配を受けた。11世紀に成立した李朝でも，中国の諸制度を導入し，仏教・儒教が発達した。

6〜15世紀，メコン川流域に**クメール人**がカンボジア（真臘）を建て，**アンコール朝**の時代が全盛期であった。その時代の寺院遺跡**アンコール＝ワット**は，ヒンドゥー教寺院として建てられ仏教寺院に改修されたものである。

7〜11世紀，タイのチャオプラヤ川下流域に成立したモン人の国が**ドヴァーラヴァティー**であり，11世紀にビルマ人が建てたビルマ初の統一王朝が**パガン朝**である。ともに，インドの影響を強く受け，上座部仏教が信仰された。インドネシアのスマトラ島では，7世紀半ばにシュリーヴィジャヤ王国が成立し，大乗仏教が栄えた。ジャワ島では8〜9世紀頃，**シャイレンドラ朝**が有力になり，仏教遺跡である**ボロブドゥール**が造営されている。

ヨーロッパによって「発見」されるまでのアメリカ大陸

アメリカ大陸では，氷河時代にベーリング海峡を渡ったモンゴロイド系の人々が大陸全土に広がり，独自の文化を形成した。のちにコロンブスが到達して「新大陸」と呼ばれ，先住民はインディオ（インディアン）と呼ばれた。

メキシコから中米にかけては前1200年頃までにメキシコ湾周辺でオルメカ文明が発展し，前1〜12世紀にメキシコ高原ではテオティワカン文明やトルテカ文明が興った。同じ頃，ユカタン半島には**マヤ文明**が存在していた。マヤ文明では，ゼロの記号化や二十進法による数の表記を行い，精密な暦法を使用していた。その後，14世紀には，メキシコ高原で**アステカ王国**が成立している。南米では前1000年頃にアンデス地方に**チャビン文化**が成立した。そして，15〜16世紀にアンデス地方で繁栄したのが**インカ帝国**である。

アンコール=ワット

ヒンドゥー教寺院として建てられ，のちに仏教寺院に改修された

カンボジアの国旗にもなっている

古代アメリカの文明まとめ

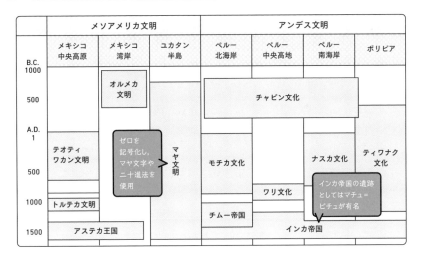

	メソアメリカ文明			アンデス文明			
	メキシコ中央高原	メキシコ湾岸	ユカタン半島	ペルー北海岸	ペルー中央高地	ペルー南海岸	ボリビア
B.C.1000		オルメカ文明		チャビン文化			
500							
A.D.1	テオティワカン文明	ゼロを記号化し，マヤ文字や二十進法を使用	マヤ文明	モチカ文化		ナスカ文化	ティワナク文化
500					ワリ文化		
1000	トルテカ文明			チムー帝国		インカ帝国の遺跡としてはマチュ=ピチュが有名	
1500	アステカ王国				インカ帝国		

THEME 09 **POINT**

- 🖊 **カンボジアでは，アンコール朝の時代にアンコール=ワットが造営された。**
- 🖊 **ユカタン半島のマヤ文明では，二十進法や精密な暦法が用いられた。**
- 🖊 **南アメリカでは，チャビン文化やインカ帝国が繁栄した。**

CHAPTER 01
Prehistoric Times
and Ancient
Civilizations

THEME
10

Coffee Time
Discovery
WORLD HISTORY

古代中国を駆ける五覇と七雄

🗄 神意を刻んだ古代文字の記録

　　前5000〜前3000年頃，黄河流域に広がる黄土地帯で，中国人の祖先に
あたる原シナ人により中国最古の農耕文化が興った。**仰韶文化**と呼ばれてお
り，顔料で文様をつけた**彩文土器**を使用していた。前3千年紀には，黄河下
流地域を中心に，黒色磨研土器（黒陶）を使用する**竜山文化**が発達した。

　　現在確認できる中国最古の王朝が**殷**で，邑と呼ばれる都市の連合体として
成立した。殷では神権政治が行われ，重要な国事を占いにより決定していた
とされる。その際，亀甲や獣骨に刻まれたのが**甲骨文字**である。

🗄 有力諸侯が覇権を争う下剋上の時代へ

　　前11世紀に殷を滅ぼし，華北を支配した王朝が**周**である。前770年まで
を**西周**といい，世襲の諸侯に領地を与えつつ，貢納と軍役の義務を負わせて
忠誠を誓わせる**封建制度**を採用した。しかし，西方の遊牧民に都が占領され
ると，東方の洛邑に遷都した。これ以降は東周と呼ばれる。

　　ここから群雄割拠の時代となる。前770〜前403年の**春秋時代**には，有力
諸侯が尊王攘夷を旗印に，周王の権威を利用して天下に君臨しようとした。
この時代に活躍した諸侯を覇者といい，代表的な5人は**春秋の五覇**と呼ばれ
る。前403〜前221年までの**戦国時代**には周王の権威が完全に失墜。有力諸
侯は自ら「王」を名乗り，**戦国の七雄**という7つの有力国にまとまった。

🗄 乱世を生き抜くための思想とは?

　　春秋・戦国時代には，**諸子百家**と総称されるさまざまな学派の学者や思想
家を輩出した。**孔子**を祖とする**儒家**は，仁の大切さを唱えた。**老子と荘子**を
祖とする**道家**は，無為自然を主張した。その他にも，墨子を祖とする**墨家**，
商鞅や韓非による**法家**，孫子や呉子に代表される**兵家**などが知られている。

中国文明の始まり

| 7000000 | 10000 | B.C. 0 A.D. | 500 | 1000 | 1500 | 2000 |

周の時代の領域MAP

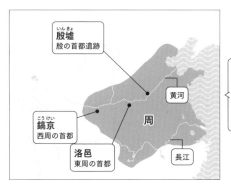

殷墟
殷の首都遺跡

鎬京
西周の首都

洛邑
東周の首都

黄河

周

長江

前770年までの周を西周といい，都は鎬京（現在の西安付近）に置かれた。
前770年以降は東周と呼ばれ，都は洛邑（現在の洛陽）に移った

 諸子百家の主な学者・思想家

儒家	孔子	家族道徳の実践から仁の実現をめざす。周代の礼にもとづく理想国家を説いた。彼とその弟子の言行録が『論語』
	孟子	性善説を主張し，徳治主義にもとづく王道政治を説く
	荀子	性悪説を主張し，法家思想に影響を与えた
道家	老子	礼や道徳を人為としてしりぞけ，無為自然を主張
	荘子	道家の思想を老荘思想として確立
法家	商鞅	秦の孝公に仕え，改革を断行し，秦を強国に導く
	韓非	荀子の弟子で，法と刑罰による社会秩序の確立を説いた
墨家	墨子	無差別な愛（兼愛）を説き，儒家を批判した
縦横家	蘇秦	最強の秦に対抗するため6国が同盟する外交策（合従）を説く
	張儀	6国が個別に最強の秦と同盟する外交策（連衡）を説く

THEME 10 **POINT**

◍ **中国最古の王朝とされる殷では，甲骨文字が使用された。**

◍ **周が衰えると，中国は春秋・戦国時代に突入した。**

◍ **春秋・戦国時代には，孔子，老子，墨子などの諸子百家が活躍した。**

Chapter

01

CHAPTER 01
Prehistoric Times
and Ancient
Civilizations

THEME
11

Coffee Time
Discovery
WORLD HISTORY

中国における皇帝の登場

最初に中国を統一した秦の始皇帝

　戦国の七雄の一つであった**秦**の王の**政**は，法家の李斯を登用して富国強兵策を徹底し，他の6国を次々に征服。前221年，中国の統一に成功した。そして，王にかえて「皇帝」の称号を採用し，**始皇帝**と称した。始皇帝は封建制度にかえて郡県制を施行し，中央集権化を進めた。また，貨幣・度量衡・文字などを統一。さらに，**焚書・坑儒**と呼ばれる思想統制により，秦の政治に批判的であった数百人の儒者を生き埋めにしたとされる。しかし，始皇帝の死後間もなく，中国史上最初の大規模な民衆反乱を機に秦は滅亡する。

中国で現代まで続く中央集権体制の確立

　秦滅亡後の混乱を収拾した**劉邦**は前202年，**長安**を首都にして漢（**前漢**）を建国した。劉邦は穏やかな統治政策を掲げ，民心の安定に努める。統治にあたり，郡県制と封建制を併用する郡国制を実施した。第7代皇帝の**武帝**の時代に前漢は全盛期となり，実質的に郡県制へと移行。中央集権体制を確立し，ベトナム・朝鮮・西域にまで支配を拡大する。しかし武帝の死後，皇帝の側近である宦官や皇后の親族である外戚が政治に介入するようになった。

再建された漢王朝の興亡

　後8年，外戚の王莽が前漢を滅ぼして新を建国するが，農民反乱によって15年で滅ぶ。そして，乱を平定して中国を再統一したのが**劉秀**である。
　地方豪族の支持を受けた劉秀は，後25年に**洛陽**を都として帝位につき，漢王国を再興した（後漢）。これが**後漢**の**光武帝**である。その後100年間は比較的安定した時代が続いたが，2世紀になると後漢は政治が混乱し，184年には宗教結社**太平道**を創始した**張角**の指導で農民反乱が発生。220年，後漢の皇帝が魏王の**曹丕**に禅譲することで後漢は滅亡した。

秦・漢の流れまとめ

秦	▸ 秦王の政が中国を統一し，始皇帝となる ● 中央集権化の推進（郡県制の施行） ● 法家思想による政治（焚書・坑儒） ▸ 陳勝・呉広の乱（中国史上最初の大規模な民衆反乱）により滅亡
前漢	▸ 劉邦が長安を都として建国 ▸ 第7代武帝 ● 中央集権体制の確立（実質的に郡県制へ移行）　前漢の全盛期 ● ベトナム・朝鮮・西域にまで支配を拡大
新	▸ 外戚の王莽が前漢を滅ぼして新を建国 ▸ 赤眉の乱（農民反乱）により滅亡
後漢	▸ 劉秀（光武帝）が洛陽を都として建国 ▸ 黄巾の乱（張角が指導した農民反乱）により事実上滅亡

前漢（武帝時代）の領域MAP

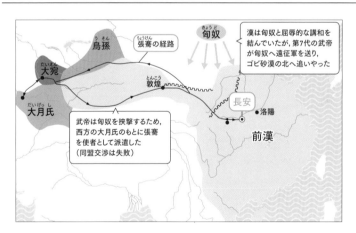

THEME 11 POINT

◎ 秦王の政は中国を統一し，始皇帝と称した。

◎ 劉邦（高祖）は長安を首都にし，漢（前漢）を建国した。

◎ 劉秀（光武帝）は洛陽を都とし，後漢を建国した。

| CHECK |

確　認　問　題

先 史 時 代 と 古 代 文 明

Prehistoric Times and Ancient Civilizations

「目には目を，歯には歯を」の同害復讐法で
知られる法典を制定した，バビロン第1王朝の
王は次のうち誰?

① ダヴィデ

② ハンムラビ

③ ソロモン

古代のギリシアで民主政を確立し，
デロス同盟の盟主となったポリスは，
次のうちどれ?

① スパルタ

② トロイヤ

③ アテネ

03

マケドニアとギリシアの連合軍を率いて
東方遠征に出発し，ギリシア，エジプトから
インダス川に達する大帝国を築いたのは，
次のうち誰?

① カエサル
② アレクサンドロス
③ アウグストゥス

04

漢（前漢）を建国したのは，次のうち誰?
① 劉邦
　りゅうほう
② 始皇帝
　しこうてい
③ 劉秀
　りゅうしゅう

答え ▷ P.188

Coffee Time
Discovery
Σ WORLD HISTORY Ⅎ

02

History of the East Asian World

東アジア世界の歴史

7000000   10000   B.C. 0 A.D.   500   1000   1500   2000

中国では英傑たちがしのぎを削る三国時代に入り，
いくつもの民族や国々が興亡する五胡十六国時代，
そして華北と江南で異なる王朝が併存する南北朝時代へと続く。
中国を統一した隋は中央集権的な国づくりをめざし，
それに続く唐は東アジア文化圏の盟主となった。
多くの王朝が繁栄と滅亡をくり返す中で，
モンゴル族が建てた元や中国東北地方の女真族が建てた清など，
異民族が中国を統一した時代もあった。
この章では，東アジアとその周辺地域の歴史を見ていこう。

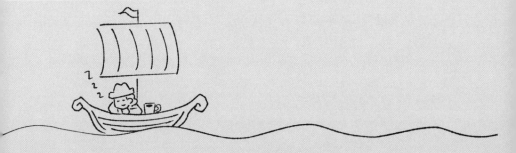

CHAPTER 02

History of
the East
Asian World

THEME
12

Coffee Time
Discovery
WORLD HISTORY

中国は長い分裂の時代へ

☕ 英傑たちがしのぎを削る三国時代

　曹操の子曹丕が後漢の皇帝から帝位を譲り受けて華北に**魏**を建国すると，孫権が江南に**呉**を，劉備が四川に**蜀**を建国し，**三国時代**が始まる。蜀は263年，魏に滅ぼされた。その魏では将軍司馬炎（**武帝**）が帝位を奪い，洛陽を都として晋（**西晋**）を建国。280年，晋は呉を滅ぼし，中国を統一した。

☕ 諸民族が入り乱れた五胡十六国時代

　晋では，一族諸王の権力争いにより八王の乱（290〜306年）が発生する。この混乱に乗じて異民族の**匈奴**が洛陽を占領し，晋は滅亡した。その後，華北は五胡（5つの非漢民族）を中心に16もの国々が興亡する**五胡十六国時代**となった。江南では，司馬睿が晋を復興し，**東晋**を建国している。

☕ 中国が南北に分裂した南北朝時代

　華北では386年に鮮卑の拓跋氏が**北魏**を建国し，439年の**太武帝**のとき，華北を統一し，五胡十六国時代は終わった。一方，江南では420年に武将劉裕が東晋を倒し，**宋**を建国する。以後，華北と江南にそれぞれ北朝と南朝と称される王朝が併存した時代を**南北朝時代**という。

☕ 2つに分かれた中国はどうなった？

　北朝において，北魏は5世紀後半の**孝文帝**のときに全盛期となる。都を平城から洛陽に移し，服装や言語を中国風にする漢化政策を進めた。この政策をめぐる対立から，北魏は東西に分裂する。その後，東魏は北斉に，西魏は北周に代わり，北周が北斉を滅ぼした。

　南朝では宋・斉・梁・陳の4王朝が順に興亡したが，権力は弱体であった。そして，北周の外戚楊堅が**隋**を建国し，陳を滅ぼして中国を統一する。

7000000	10000	B.C. 0 A.D.	500	1000	1500	2000

🌐 三国時代の中国MAP

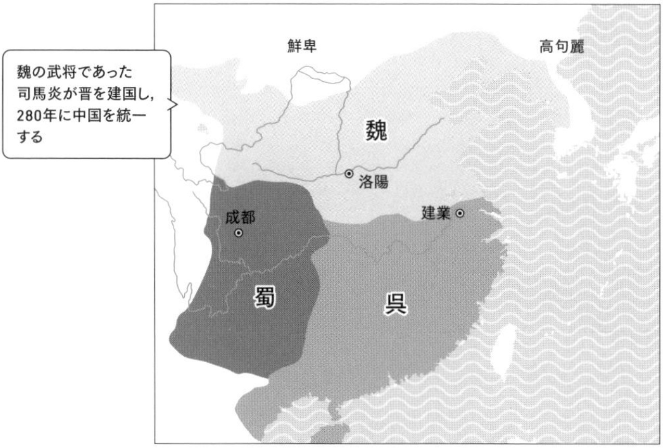

魏の武将であった司馬炎が晋を建国し，280年に中国を統一する

鮮卑　高句麗

魏

洛陽

成都

建業

蜀　呉

✏️ 三国時代から隋までの王朝の興亡

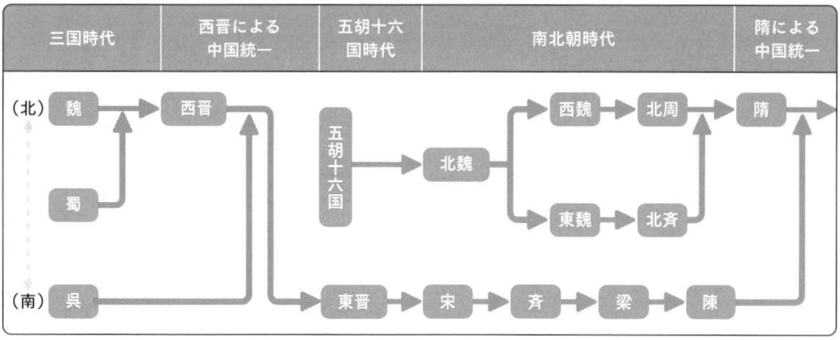

三国時代	西晋による中国統一	五胡十六国時代	南北朝時代		隋による中国統一

（北）魏 → 西晋
蜀
五胡十六国 → 北魏 → 西魏 → 北周 → 隋
　　　　　　　　　→ 東魏 → 北斉
（南）呉 → 東晋 → 宋 → 斉 → 梁 → 陳

THEME 12 **POINT**

- 曹丕が魏を建国すると孫権が呉を劉備が蜀を建国し，三国時代に突入した。

- 4世紀に入ると，華北は五胡十六国時代に突入した。

- 隋の楊堅は陳を滅ぼし，中国を統一した。

CHAPTER 02
History of
the East
Asian World

THEME

13

Coffee Time
Discovery

WORLD HISTORY

中国南北の統一から
大帝国へと拡大する隋・唐

☕ 中国統一を成し遂げた隋は短命に終わる

　北周の外戚であった**楊堅（文帝）**は，大興城（長安）を都として隋を建国。589年に南朝の陳を滅ぼし，中国を統一した。中央集権体制をめざした文帝は，北魏から均田制を継承し，税制として租調庸制を確立。兵農一致を原則とする府兵制を採用して軍備を拡張し，学科試験による官吏登用制度の**科挙**を新設した。父である文帝を倒してあとを継いだ**煬帝**は，華北と江南を結ぶ大運河を建設し，民衆に過重な負担を強いた。3度にわたる**高句麗**遠征に失敗すると，各地で反乱が起こり，隋は統一から30年足らずで滅亡する。

☕ 唐は広大な領土を支配する大帝国となる

　618年，**李淵（高祖）**は唐を建国し，都を**長安**においた。第2代**太宗（李世民）**の時代は律令国家として内政が充実し，「**貞観の治**」と呼ばれる繁栄期を迎える。第3代高宗は，朝鮮半島の百済，高句麗を滅ぼし，西域オアシス都市も領域に入れ，大領土を形成した。高宗の死後は皇后の**則天武后**が実権を握って周を建て，中国史上唯一の女帝となった。その後，唐は再興し，**玄宗**の治世の前半は律令体制の立て直しに励み，「**開元の治**」と呼ばれた。

☕ 楊貴妃を溺愛した皇帝は政治への熱意を失う

　玄宗は節度使（辺境の募兵集団の指揮官）を設置したが，彼らは任地の民政・財政を掌握し，自立化する傾向にあった。751年，唐は中央アジアでイスラーム勢力のアッバース朝軍に敗北し，西域から後退する。晩年の玄宗は**楊貴妃**を寵愛し，その一族を重用。政治が乱れ，節度使の**安禄山**らが**安史の乱**を起こした。ウイグルの援軍で反乱は鎮圧されたが，唐の無力さが露呈した。

　9世紀後半には塩の密売商人の挙兵から始まった大農民反乱である黄巣の乱で多くの貴族が没落。907年，節度使の**朱全忠**により唐は滅ぼされた。

🌐 唐の最大領域MAP

第3代高宗の時代に西突厥を討伐し,西域オアシス都市も領土に入った

東突厥

西突厥

ウマイヤ朝

吐蕃
(チベット)
◎ラサ

ヴァルダナ朝

洛陽 ●

長安

唐

南詔

朝鮮半島の百済と高句麗も滅ぼした

✏️ 唐代の文化

外来宗教	景教…ネストリウス派キリスト教の中国名
	祆教…ゾロアスター教の中国名
	マニ教…ササン朝で誕生
外来商人	ムスリム商人…イスラーム教徒の商人
	ソグド商人…ゾロアスター教・マニ教を中国に伝える
訪印僧	玄奘…陸路でインドを往復。旅行記『大唐西域記』
	義浄…海路でインドを往復。旅行記『南海寄帰内法伝』
儒学	孔穎達が『五経正義』を編集
詩人	「詩仙」李白,「詩聖」杜甫,「長恨歌」の作者白居易など
陶器	唐三彩…緑・褐色・白などの彩色をほどこした唐代の陶器

「長恨歌」は玄宗と楊貴妃の悲恋をうたったもの

THEME 13 POINT

🔹 隋の煬帝は華北と江南を結ぶ大運河を建設し,高句麗にも遠征した。

🔹 李淵(高祖)は長安を都として,唐を建国した。

🔹 唐の玄宗は晩年になると楊貴妃を寵愛し,安史の乱を招いた。

CHAPTER 02

History of
the East
Asian World

THEME
14

Coffee Time
Discovery
WORLD HISTORY

中国は東アジア文化圏の盟主だった

中国を中心とした広大な東アジア文化圏

東アジアには，中国の皇帝が周辺諸国の支配者に中国の官爵を与えて君臣関係を結ぶ伝統があった。このしくみは**冊封体制**と呼ばれた。この体制下の諸国の支配者には貢物と使節の派遣が義務づけられたが，中国の皇帝からはそれを上回る下賜品が与えられるという一種の交換が行われた。この貿易形態を**朝貢貿易**と呼ぶ。そのため，宗主国の中国に対し，冊封体制下にある国々を朝貢国と呼ぶ場合がある。間接統治策である羈縻政策や朝貢貿易の進展などにより，唐の周辺地域は漢字，律令体制，仏教・儒教などを共通要素とする一つの文化圏を形成した。

隋・唐の影響を受けて周辺諸国が発展

朝鮮半島では，新羅が唐と同盟を結んで**百済・高句麗**を滅ぼし，676年に初めて朝鮮半島を統一した。新羅は唐の律令制・仏教文化を受容し，都の慶州では仏教文化が栄えて仏国寺を建立した。

中国東北部では，大祚栄が高句麗の遺民とツングース系の靺鞨人を統合し，698年に**渤海**を建国した。首都の上京竜泉府は唐の長安をモデルに造営された都城であった。727年からは日本とも盛んに交流している。

日本は隋に**遣隋使**を，唐に**遣唐使**を使節として派遣し，律令制や仏教文化などの政治制度や文化を摂取した。645年の**大化の改新**以後は律令国家体制が確立し，奈良時代には唐文化などの影響で国際色豊かな**天平**文化が栄えた。百済滅亡に際しては百済に援軍を派遣したが，唐・新羅の連合軍に大敗した。

7世紀，ソンツェン゠ガンポがチベットの諸王国を統一して建国したのが**吐蕃**であり，唐代の雲南地方に建国されたチベット゠ビルマ系の王国が**南詔**である。これらの国では，中国・チベット・インドの要素が融合した文化が発達した。

東アジア文化圏のまとめ

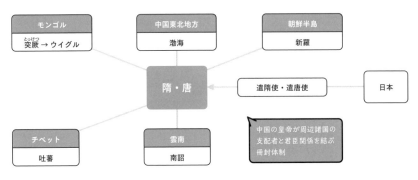

モンゴル
突厥 → ウイグル

中国東北地方
渤海

朝鮮半島
新羅

隋・唐 ← 遣隋使・遣唐使 ← 日本

チベット
吐蕃

雲南
南詔

中国の皇帝が周辺諸国の支配者と君臣関係を結ぶ冊封体制

長安城と平城京

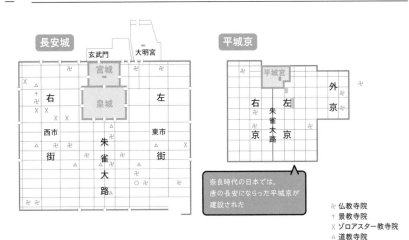

長安城

玄武門　大明宮
宮城
右　皇城　左
西市　朱雀大街　東市

平城京

平城宮
右京　左京　外京
朱雀大路

奈良時代の日本では，唐の長安にならった平城京が建設された

卍 仏教寺院
✝ 景教寺院
✕ ゾロアスター教寺院
△ 道教寺院

THEME 14 POINT

- 東アジアでは，中国と周辺国が君臣関係を結ぶ冊封体制がとられた。
- 新羅は百済・高句麗を滅ぼし，朝鮮半島を統一した。
- ソンツェン=ガンポはチベットを統一して，吐蕃を建国した。

CHAPTER 02

History of
the East
Asian World

THEME

15

Coffee Time
Discovery

WORLD HISTORY

周辺勢力の圧迫を和平策で
乗り切る，宋王朝

🍺 分裂と抗争が続く五代十国時代

　唐を滅亡させた節度使の**朱全忠**が後梁を建国し，それ以降の華北では後唐・後晋・後漢・後周と５つの短命王朝が興亡した。その間，華中や華南周辺には10の国が興亡した。これらをまとめて**五代十国**と呼ぶ。五代最後の後周の将軍**趙匡胤**（太祖）は960年，開封を都に**宋**（北宋）を建国した。太祖は武断政治を排除し，文人官僚により国政を運営する文治主義をとる。官吏登用では**科挙**を整備し，皇帝自身が試験官となる**殿試**を創設。また，皇帝直属軍である禁軍を強化し，君主独裁体制の基盤を確立した。

🍺 周辺民族の圧迫に苦しんだ北宋の和平案

　禁軍の強化で地方軍は弱体化し，宋は周辺民族の侵入に苦しんだ。軍事費が増大するなか，宋は周辺民族に銀や絹などの歳賜を支払う和平策を採用し，平和的関係を築く。しかし，新興地主層や都市の大商人が貧しい農民や商工業者に高利の貸し付けを行い，没落農民が増えたことなども災いし，財政難に陥った。第６代神宗は宰相として**王安石**を登用し，**新法**と呼ばれる改革を実施。中小農民・商工業者を保護して財政再建と富国強兵をめざしたが，保守派官僚が改革に反対。改革派の新法党と**司馬光**ら反対派の旧法党が激しく争い，党争が続くなかで宋の国力はさらに低下した。

🍺 続く南宋も屈辱的な和議で脅威を退ける

　12世紀初め，ツングース系**女真族**の**金**は宋の都を占領し，上皇の徽宗や皇帝の欽宗を連行した。欽宗の弟の**高宗**は江南に逃れ，臨安を都に宋を再建。これを**南宋**という。南宋は金に対して主戦派の**岳飛**と和平派の**秦檜**が対立し，和平派が主戦派をおさえた。その結果，1142年の和議で南宋は金に臣下の礼をとり，淮河を国境として，毎年銀や絹を贈る約束をした。

11世紀の中国と周辺諸国MAP

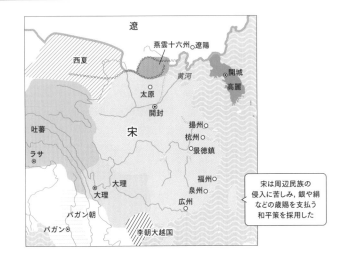

遼

燕雲十六州○遼陽

西夏

黄河

開城

太原

高麗

開封

宋

揚州○

杭州○

○景徳鎮

吐蕃

ラサ

大理
大理

福州○

泉州○

広州○

パガン朝

パガン◎

李朝大越国

> 宋は周辺民族の侵入に苦しみ，銀や絹などの歳賜を支払う和平策を採用した

 ## 殿試の様子

> 宋の太祖は官吏登用制度の科挙を整備し，皇帝が最終審査を行う殿試を創設

THEME 15 **POINT**

- ⌀ 趙匡胤（太祖）は宋（北宋）を建国し，五代十国時代を終わらせた。

- ⌀ 宋では文治主義がとられ，科挙が整備され，殿試が創設された。

- ⌀ 女真族の金は宋（北宋）の都を占領し，宋は江南に逃れて南宋を再建。

CHAPTER 02

History of
the East
Asian World

THEME
16

0
Coffee Time
Discovery
WORLD HISTORY

遊牧民族の興亡が歴史を紡ぐ, 内陸アジア世界

🫙 馬上から矢を放つ, 鍛え抜かれた騎馬遊牧民

　内陸アジアの世界では, 多くの遊牧民族が興亡した。部族制の社会構造と騎馬の戦術を背景として, 強大な軍事力を持つ遊牧民を騎馬遊牧民という。

　前7〜前3世紀に黒海北岸の南ロシアの草原地帯に出現した最初の騎馬遊牧民が**スキタイ**である。前3世紀末から数百年間, モンゴル高原で活動した騎馬遊牧民が**匈奴**で, **冒頓単于**の時代に全盛期を迎え, 月氏を西方に追いやった。同じ頃, 天山山脈北方には烏孫がいた。

　2世紀半ばから匈奴に代わってモンゴル高原を支配したのが鮮卑で, 4世紀後半に拓跋氏が**北魏**を建国した。その後はモンゴル系といわれる柔然やトルコ系の**突厥**といった騎馬遊牧民が活躍する。突厥はササン朝と組んで6世紀半ば過ぎに中央アジアの遊牧民エフタルを挟撃し, 滅ぼした。8〜9世紀にはトルコ系騎馬遊牧民のウイグルがモンゴル高原を支配した。

🫙 中央アジアでイスラーム化するトルコ民族

　8世紀以降, イスラーム勢力が中央アジアに進出し, その地を支配するトルコ系集団のイスラーム化が急速に進んでいく。751年, 唐がイスラーム帝国**アッバース朝**との戦いに敗れ, 中央アジアから後退した。875年, 中央アジア西部ではイラン系のサーマーン朝が自立するが, 10世紀末にはトルコ系のカラハン朝に滅ぼされた。このカラハン朝が集団でイスラーム教に改宗したことによって, 中央アジアのイスラーム化が決定的になった。

　セルジューク朝を建国したトゥグリル=ベクは1055年, バグダードに入城し, アッバース朝のカリフから**スルタン**（支配者）の称号を授かった。そのセルジューク朝から12世紀末にイラン高原を奪ったのがホラズム=シャー朝である。しかし1220年, **チンギス=ハン**の攻撃を受けて事実上崩壊。その後, ユーラシア大陸の大部分は**モンゴル帝国**によって征服される。

騎馬遊牧民（スキタイ）

スキタイは独特の動物文様の金属器や馬具・武器を使っていた

10世紀後半の中央アジアMAP

トルコ系のカラハン朝がイスラーム教に改宗し，中央アジアのイスラーム化が決定的になった

THEME 16 **POINT**

- 前3世紀末から数百年間，匈奴がモンゴル高原を支配した。

- 鮮卑の拓跋氏は，中国の華北に北魏を建国した。

- トゥグリル＝ベクはセルジューク朝を建国し，スルタンの称号を得た。

CHAPTER 02
History of
the East
Asian World

THEME
17

Coffee Time
Discovery
WORLD HISTORY

騎馬遊牧民に伝わる
君主の称号「ハン」

アジアからヨーロッパにまたがる空前の大帝国

　12世紀前半に契丹の王朝である遼が滅亡すると，モンゴル高原の覇権を
めぐり各部族が対立した。やがてモンゴル族の**テムジン**が，周辺のモンゴル
系・トルコ系諸部族を統一。1206年にクリルタイ（集会）でハンの称号を
受けて**チンギス＝ハン**と称した。これがモンゴル帝国の始まりである。チン
ギス＝ハンは中央アジアに領域を広げ，西夏征服の途中で病没した。

　2代目の**オゴタイ＝ハン**は，華北の金を滅ぼして豊かな農耕地帯を支配下
に入れ，カラコルムに都を造営した。甥の**バトゥ**はヨーロッパ遠征でドイツ・
ポーランド連合軍を破り，モンゴルの勢力はヨーロッパ中部まで拡大。さら
に，4代目の**モンケ＝ハン**はフラグに命じてイスラーム勢力のアッバース朝
を滅ぼした。

中国史上初の異民族統一王朝となる

　フビライ＝ハンは都を**大都**（現在の北京）に移し，1271年，国号を中国
風に**元**と定めた。その後，江南を孤立させるため周辺諸国に軍を派遣し，
南宋を滅ぼして中国を統一。チベットや高麗を服属させ，ミャンマーのパガ
ン朝を滅亡に追い込んだ。フビライの時代に領土は最大となったが，日本・
ベトナム・ジャワ島遠征には失敗した。

動揺する帝国は北方へと駆逐された

　フビライの死後，元の宮廷では皇位継承をめぐる争いや財政難で政治が乱
れた。こうした事態に元は交鈔という紙幣を乱発し，経済が混乱した。その
結果，モンゴル人第一主義の政策に対する不満も爆発し，各地で民衆反乱が
頻発した。1351年に白蓮教などの宗教結社を中心とした農民反乱（**紅巾の
乱**）が起こり，元はモンゴル高原に退いて北元となった。

モンゴル帝国の分裂と元の中国統一MAP

元の領土
各ハン国
モンゴル帝国の最大領土
（14世紀初め）

広大な領土を持つモンゴル帝国は，
フビライの支配する元と3つのハン国
が分割統治していた

元の中国支配

モンゴル人	支配者層。政治・軍事を担当
色目人	中央アジア・西アジア出身者。経済・財政を担当
漢人	金（華北）の領域の居住者。女真人，契丹人，漢民族など
南人	南宋（江南）の領域の居住者。漢民族

元はモンゴル人第一主義と呼ばれる
厳格な支配方式を導入していたとされる

THEME 17 **POINT**

- モンゴル族のテムジンはモンゴルを統一し，チンギス=ハンと称した。
- フビライ=ハンは都を大都に移し，国号を元に改めた。
- 白蓮教を中心とした紅巾の乱が起こり，元はモンゴル高原に退いた。

CHAPTER 02

History of
the East
Asian World

THEME
18

♡
Coffee Time
Discovery

WORLD HISTORY

漢民族の統一王朝が復活

🫖 久しぶりに復活した漢民族の王朝

　紅巾の乱で頭角をあらわした貧農出身の**朱元璋**は，1368年に南京で**洪武帝**として即位し，**明**を建国する。元号を洪武として，以後は皇帝一代につき一元号とする一世一元の制を採り入れられた。洪武帝は刑法典や行政法典を発布し，**朱子学**を官学として科挙を整備。中央行政機関の六部を皇帝直属として皇帝独裁を強化した。また，軍制としては民戸と軍戸から徴兵する衛所制を定め，農民支配の面では農村を民戸110戸で1里とする里甲制を実施するなど，国内のさまざまな制度を整備していった。

🫖 鄭和の率いる大艦隊は東アフリカまで到達！

　第2代建文帝が諸王の権力削減をはかると，叔父の燕王が挙兵。南京を攻略して帝位を奪い，第3代**永楽帝**として即位した。彼は都を**北京**に移し，積極的な対外政策を行う。自らモンゴルに遠征し，オイラト，タタールを攻めた。南海遠征では，イスラーム教徒の宦官である**鄭和**に命じてインド洋方面へ大艦隊を派遣した。永楽帝の死後，明は北方からのモンゴル人の侵入と南方からの**倭寇**の侵入に苦しむことになる。第6代**正統帝**はオイラトの捕虜となり，15世紀以降タタールが明に侵入をくり返した。

🫖 包囲された皇帝は自ら幕を引いた

　幼少で即位した万暦帝は，**張居正**を登用して財政再建に取り組んだが，その没後は宦官を重用し，再び政治が乱れた。その後，明は日本の**豊臣秀吉**の朝鮮侵略に参戦したことなどにより財政が破綻。宮廷内では，官僚などからなる東林派と，宦官と手を結ぶ非東林派が激しい党争を続け，政治が混乱した。結局，重税と飢饉に苦しむ民衆が各地で反乱を起こし，1644年に**李自成**が北京を占領。崇禎帝が自殺し，明は滅亡した。

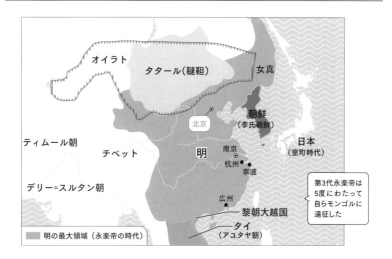

🌐 明と周辺諸国MAP（15世紀ごろ）

オイラト

タタール（韃靼）

女真

朝鮮
（李氏朝鮮）

北京

ティムール朝

チベット

明

南京
杭州　●
寧波

日本
（室町時代）

デリー＝スルタン朝

第3代永楽帝は
5度にわたって
自らモンゴルに
遠征した

広州

黎朝大越国

タイ
（アユタヤ朝）

■ 明の最大領域（永楽帝の時代）

🌐 万里の長城

明は北方民族の
侵入に苦しみ,
万里の長城を修
築するなどして
対処した

現存する万里の
長城のほとんど
が明の時代に
修築されたもの

THEME 18 **POINT**

- 朱元璋は南京で洪武帝として即位し，明を建国した。

- 明の永楽帝は鄭和に命じ，インド洋方面へ大艦隊を派遣した。

- 李自成が首都北京を占領し，明は滅亡した。

CHAPTER 02

History of
the East
Asian World

THEME
19

Coffee Time
Discovery

WORLD HISTORY

中国最後の統一王朝を
建てた満洲族

🍵 北方民族の建てた国が中国の正統王朝に

　明代末期，中国東北地方に居住していたツングース系の女真族は，**ヌルハチ**が部族の統一に成功し，1616年に**後金**を建国した。彼は軍事・行政組織として八旗を創設し，モンゴル文字を応用して**満洲文字**を創始した。第2代皇帝の**ホンタイジ**は内モンゴルのチャハルを征服。1636年に国号を**清**に改め，翌年には李氏朝鮮を服属させる。また，民族名も**満洲族**とした。明が滅亡すると，第3代順治帝は北京に遷都し，支配を拡大していく。

🍵 8歳で即位した康熙帝が全盛期へと導く

　第4代**康熙帝**は旧明の武将らによる反乱を鎮圧し，のちに台湾も征服。1689年には，ロシア帝国のピョートル1世と条約を結び，北辺の国境を定めた。60年以上にわたる在位期間に，康熙帝は清の支配を確立する。第5代**雍正帝**もロシアと新たな条約を結び，モンゴル方面の国境画定や通商について取り決めた。第6代**乾隆帝**は1758年にジュンガルを征服して東トルキスタンを占領し，「新疆」（新しい領土）と命名。清の領土は最大となった。

🍵 漢民族をアメ（懐柔）とムチ（弾圧）で支配

　清は漢民族の伝統・慣習を尊重し，明の諸制度を継承した。重要な役職に満洲族と漢民族を同数併置する**満漢併用制**をとり，科挙の制度により優秀な漢人官僚も登用して，知識人の不満を和らげた。その一方で，満洲族の髪型である**辮髪**や満洲服を強制し，禁書や**文字の獄**（書物のなかの反満・反清的な文の摘発）を行って反清思想を厳しく弾圧した。

　交易の面では，康熙帝の時代に一時海禁（海上交通や交易の制限策）が解かれ，貿易が発展した。貿易にたずさわった福建や広東出身の人々の一部は東南アジア方面に移住し，のちの南洋華僑のもととなった。

B.C. 0 A.D.　　500　　1000　　1500　　2000

清の流れと制度

清の流れ	
ヌルハチ	金（後金）を建国。八旗を創設
ホンタイジ	内モンゴルのチャハルを征服
	国号を清と改称
康熙帝	三藩の乱を鎮圧。台湾を平定
	ロシアとネルチンスク条約
雍正帝	ロシアとキャフタ条約
乾隆帝	領土最大となる

漢民族統治政策	
懐柔策	満漢併用制
	科挙の実施
抑圧策	辮髪と満洲服の強制
	文字の獄・禁書

清の軍制	
八旗	清の正規軍
緑営	治安維持
	漢民族で編成

清と周辺諸国MAP

ロシア帝国

■ 清の直轄地
■ 乾隆帝時代の最大領域

ロシア帝国と条約を結び，北方の国境を定めた

チャハル

ジュンガル

北京

朝鮮（李氏朝鮮）

青海

チベット

南京

清

杭州

日本（江戸時代）

広州　台湾

タイ　ベトナム

THEME 19 POINT

◎ 後金のホンタイジは国号を清に改めた。

◎ 康熙帝は60年以上にわたって君臨し，清の支配を確立した。

◎ 乾隆帝は東トルキスタンを占領し，「新疆」と命名した。

| C H E C K |

確 認 問 題

東アジア世界の歴史

History of the East Asian World

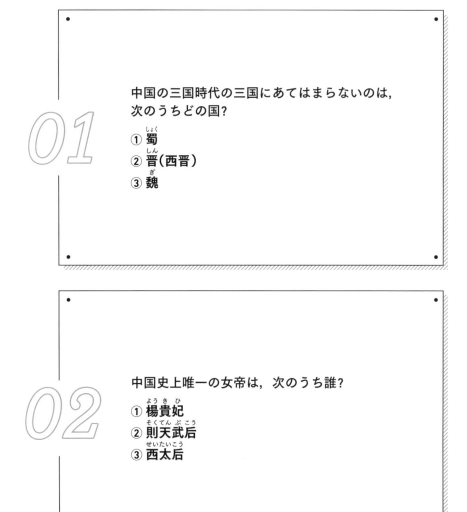

01

中国の三国時代の三国にあてはまらないのは,
次のうちどの国?

① 蜀
② 晋(西晋)
③ 魏

02

中国史上唯一の女帝は,次のうち誰?

① 楊貴妃
② 則天武后
③ 西太后

03

モンゴル高原を統一し，モンゴル帝国を
創設したのは，次のうち誰?

① **フビライ=ハン**

② **オゴタイ=ハン**

③ **チンギス=ハン**

04

じょしん
女真族が建てた中国の王朝は，次のうちどれ?

① ミン
明

② げん
元

③ シン
清

答え ▷ P.188

Coffee Time
Discovery

⊱ WORLD HISTORY ⊰

03

History of the Islamic World

イスラーム世界の歴史

| 7000000 | 10000 | B.C. 0 A.D. | 500 | 1000 | 1500 | 2000 |

アラビア半島のメッカで神の啓示を受けたというムハンマドは，
厳格な一神教であるイスラーム教を創始した。
やがてムハンマドの後継者たちは王朝を建て，
イスラーム法にもとづいて政治を行う「イスラーム帝国」が成立する。
さらに，トルコ人やモンゴル人が次々とイスラーム教に改宗するなど，
イスラーム勢力はアジアやアフリカでも拡大を続けた。
その中でトルコ人の一派が建国したオスマン帝国は，
西アジアから北アフリカ，東欧までを支配する大帝国となる。
この章では，イスラーム世界の成立から発展までを学んでいこう。

CHAPTER 03

History of
the Islamic World

THEME
20

Coffee Time
Discovery
WORLD HISTORY

神の前の平等を説くイスラーム教

貧富の差に苦しむアラブ人の間でイスラーム教が広がる

メッカのクライシュ族出身の**ムハンマド**は610年頃，唯一神である**アッラー**の啓示を受けた預言者であると自覚し，**イスラーム教**を創始した。イスラーム教の信徒は**ムスリム**と呼ばれ，**六信五行**という義務が課せられた。

富の独占を批判するムハンマドとその信者らはメッカの大商人層などから迫害を受け，北のメディナに移った。これを**ヒジュラ（聖遷）**という。630年，ムハンマドは無血のうちにメッカを征服。**カーバ神殿**をイスラーム教の聖殿に定め，アラビア半島の大半を統一する。ムハンマドの死後，その教えは聖典『**コーラン（クルアーン）**』としてアラビア語でまとめられた。

『コーラン』の教えに忠実な「イスラーム帝国」の成立

ムハンマドの後継者は**カリフ**と呼ばれた。初代アブー＝バクルから第4代アリーまで，カリフが有力信徒から選挙で選ばれた時代を**正統カリフ時代**という。**ジハード（聖戦）**と呼ばれる征服活動も盛んで，642年にササン朝を破り，ビザンツ帝国（東ローマ帝国）からはシリアとエジプトを奪った。

661年，**ダマスクス**を首都にして**ウマイヤ朝**が建国され，カリフは世襲制となった。ウマイヤ朝ではアラブ人が特権的な支配層であり，人頭税と地租を征服地住民だけに課した。

その後，アラブ人の特権が『コーラン』の教え「アッラーの前の平等」に反すると主張した非アラブ人ムスリムらが，ムハンマドの叔父の子孫による革命運動に協力した。この結果，ウマイヤ朝は倒され，750年に**アッバース朝**が成立。アラブ人の特権は解消され，イスラーム教徒間の平等が実現した。アッバース朝は**イスラーム法**に対してより忠実に政治が行われたことから，「イスラーム帝国」とも呼ばれる。また，新首都**バグダード**が建設され，人口100万人ともいわれる大都市に発展し，唐の長安と並ぶ国際都市となった。

```
B.C. 0 A.D.        500        1000        1500        2000
```

✎ イスラーム教の六信五行

イスラーム教徒が信じること

六信
神（アッラー）
天使
啓典（コーラン）
預言者たち
来世
天命

イスラーム教徒が行うこと

五行	
信仰告白	「アッラーの他に神はなし，ムハンマドはその使徒なり」と唱える
礼拝	1日5回，メッカに向かって祈る
喜捨	財産に応じて，貧しい人へ施しをする
断食	断食月の日中に飲食を断つ
巡礼	一生に1度は聖地メッカへ巡礼する

🌐 イスラーム帝国の発展MAP

フランク王国
ビザンツ帝国（東ローマ帝国）
ダマスクス
アレクサンドリア　シリア　バグダード
エジプト　メディナ
メッカ　アラビア半島

630
ムハンマド，メッカ占領

622
ヒジュラ（聖遷）

■ ムハンマド時代の征服地
■ 正統カリフ時代の征服地
□ ウマイヤ朝支配領域

THEME 20 POINT

⚟ ムハンマドは唯一神アッラーへの服従を説き，イスラーム教を創始した。

⚟ ムハンマドの後継者はカリフと呼ばれた。

⚟ アッバース朝はウマイヤ朝を倒し，イスラーム教徒間の平等を実現した。

CHAPTER 03

History of
the Islamic World

THEME

21

Coffee Time
Discovery

WORLD HISTORY

勢力を拡大するイスラームの独立王朝

☕ イスラーム世界が分裂し，続々と独立王朝が出現

ウマイヤ朝の一族が**イベリア半島**に逃れ，756年に建国したのが**後ウマイヤ朝**であり，首都コルドバを中心にイスラーム文化が開花した。シーア派の一分派がチュニジアに建国した**ファーティマ朝**は，969年にエジプトを征服し，新首都カイロを建設した。イラン系シーア派軍人が建国した**ブワイフ朝**は，946年，バグダードに入城。アッバース朝カリフから大アミール（大総督）に任じられ，イスラーム法を施行する権限を与えられた。

☕ イスラーム世界で躍動するトルコ人・モンゴル人の遊牧民

遊牧民のトルコ人たちは優れた騎馬戦士であった。そこで，アッバース朝のカリフは**マムルーク**と呼ばれるトルコ人奴隷を親衛隊に採用し，トルコ人のイスラーム化が始まる。10世紀には，中央アジア初のトルコ系イスラーム王朝であるカラハン朝が建国された。また，トルコ系遊牧民の族長トゥグリル＝ベクは**セルジューク朝**を建国。1055年にブワイフ朝を倒してバグダードに入城し，アッバース朝カリフから**スルタン**（支配者）の称号を与えられた。

13世紀になるとモンゴル帝国が発展した。チンギス＝ハンの孫**フラグ**は，1258年にバグダードを占領してアッバース朝を滅ぼし，イラン・イラクを領有して**イル＝ハン国**を建国した。のちにイスラーム教が国教となる。

☕ 西方のイスラーム王朝がヨーロッパ勢力と対決

クルド人の**サラディン**がカイロを都に建国したのがアイユーブ朝である。彼は十字軍から**イェルサレム**を奪回。第3回十字軍の侵攻も防ぎ，イスラーム世界の危機を救った。一方，モロッコを中心にベルベル人が建てたムラービト朝は，イベリア半島まで進出。イベリア半島最後のイスラーム政権が**ナスル朝**で，首都のグラナダには**アルハンブラ宮殿**が残された。

B.C. 0 A.D.　500　1000　1500　2000

10世紀後半のイスラーム世界MAP

フランス王国

後ウマイヤ朝
・コルドバ

ビザンツ帝国

カラハン朝

サーマーン朝

カイロ　・バグダード　・イスファハーン
ファーティマ朝　　　　　　ブワイフ朝

アッバース朝

アラブ系
トルコ系
イラン系

> アラブ人中心であったイスラーム世界は、ここからイラン人やトルコ人中心の時代に入る

11世紀後半のイスラーム世界MAP

フランス
王国

神聖ローマ
帝国

第1回十字軍

ビザンツ帝国

カラハン朝

セルジューク朝

ガズナ朝

ムラービト朝

カイロ◉
ファーティマ朝

バグダード

イェルサレム

アラブ系
トルコ系
ベルベル人

> イスラーム教に改宗したトルコ系民族がセルジューク朝を建国

THEME 21 **POINT**

- **ファーティマ朝はエジプトを征服し、新首都カイロを建設した。**

- **チンギス＝ハンの孫フラグはバグダードを占領し、アッバース朝を滅ぼした。**

- **アイユーブ朝を創設したサラディンは、第3回十字軍の侵攻を防いだ。**

CHAPTER 03

History of
the Islamic World

THEME

22

Coffee Time
Discovery

WORLD HISTORY

続々とイスラーム化する アジア・アフリカ

拡大するイスラーム勢力はインドへ

　10世紀末の中央アジアでは，イラン系イスラーム政権のサーマーン朝から独立した**ガズナ朝**が北インドへの侵入をくり返した。その後，ガズナ朝を滅ぼした**ゴール朝**はインドのヒンドゥー勢力を破り，北インドを征服。そして，ゴール朝のマルムーク（奴隷出身の軍人）であった**アイバク**が**奴隷王朝**を建国した。これがインドで最初のイスラーム政権である。以後，デリーを都とした5つのイスラーム王朝が続いた。インドでは，人頭税を納めることでヒンドゥー教信仰は認められ，カースト制度は維持された。

東南アジアでもイスラーム化が進む

　8世紀頃にイスラーム商人が東南アジアに進出し，のちにインドからのイスラーム布教も本格化した。マレー半島に成立した**マラッカ王国**の王が15世紀半ばにイスラーム教に改宗し，その後は諸島部を中心にイスラーム教が広まった。ジャワ島では，ヒンドゥー教の**マジャパヒト王国**が衰えてイスラーム化が進み，イスラーム教国の**マタラム王国**がジャワ島東部に成立した。

「黄金の国」の王が数千の従者を引き連れてメッカへ

　西アフリカの黒人国家**ガーナ王国**は，金を産出し，イスラーム商人が持ってきた塩と交換する貿易で栄えた。11世紀にムラービト朝の攻撃を受けて衰退後，西アフリカのイスラーム化が進む。**マリ王国**は，14世紀の国王マンサ＝ムーサがメッカ巡礼の際に大量の金を奉納し，「黄金の国」と呼ばれた。**ソンガイ王国**はマリ王国を倒し，内陸交易で繁栄。交易都市**トンブクトゥ**は内陸アフリカのイスラーム学問の中心地となった。アフリカ東海岸では，10世紀以降にイスラーム商人が進出し，商業用語としてアラビア語の影響を受けた**スワヒリ語**が成立した。

```
B.C. 0 A.D.    500    1000    1500    2000
```

東南アジアのイスラーム化と15世紀半ばの諸国家

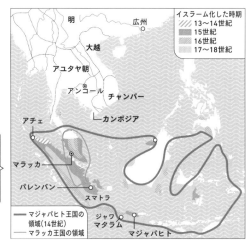

イスラーム化した時期
- ⧄ 13〜14世紀
- 15世紀
- 16世紀
- 17〜18世紀

明
広州
大越
アユタヤ朝
アンコール
チャンパー
カンボジア
アチェ

> マラッカ王国の王がイスラーム教に改宗し，諸島部を中心にイスラーム教が広まる

マラッカ
パレンバン
スマトラ
ジャワ
マタラム
マジャパヒト

— マジャパヒト王国の領域（14世紀）
— マラッカ王国の領域

✏ さまざまなモスク

> 日干しレンガを積み上げ，土で塗り固めたトンブクトゥのサンコーレ・モスクは，イスラーム世界の大学であった

> モスクの建物としては，ドーム型の屋根を持つものがよく知られている

THEME 22　POINT

- アイバクはインドで最初のイスラーム政権である奴隷王朝を建国した。
- マラッカ王国をはじめとするマレー半島には，イスラーム教が広がった。
- 西アフリカのガーナ王国は，金と塩を交換する貿易で栄えた。

CHAPTER 03

History of
the Islamic World

THEME

23

Coffee Time
Discovery

WORLD HISTORY

帝国として君臨し続けた
イスラーム王朝

☕ 20世紀まで約600年続いたオスマン帝国

　13世紀末，トルコ人の一派がアナトリア半島に**オスマン帝国**を建国した。ビザンツ帝国と争いながら領域を広げ，バルカン半島に進出してアドリアノーブルを首都とする。1396年にはハンガリー王の率いるヨーロッパ連合軍を破るが，東方から侵入した**ティムール**に敗北。一時は滅亡の危機に陥る。

　しかし，**メフメト2世**によってオスマン帝国は復興する。1453年，ついにビザンツ帝国を滅ぼして**コンスタンティノープル**へ遷都し，ここを**イスタンブル**と改称した。16世紀になると，オスマン帝国はシリアやエジプトにも進出。1517年にマルムーク朝を滅ぼし，イスラーム教の聖地メッカとメディナの保護権を獲得して，イスラーム教の守護者としての地位を確立した。その後，オスマン帝国は**スレイマン1世**のもとで全盛期を迎える。サファヴィー朝からイラクを奪い，ハンガリーも制圧し，西アジアから北アフリカ，東欧に至る大帝国を建設した。

　オスマン帝国は**スルタン**（専制君主）中心の中央集権国家で，イスラーム法にもとづく政治が行われた。一方で，帝国内のミッレト（キリスト教徒やユダヤ教の共同体）には納税を条件に信仰の自由と自治が認められた。

☕ 約300年間インドを支配したムガル帝国

　かつてオスマン帝国を壊滅させたティムール朝の創設者の子孫**バーブル**は，1526年にデリーを都として**ムガル帝国**を建国した。第3代皇帝**アクバル**は北インドを統一し，中央集権体制を確立。非イスラーム教徒に課せられた人頭税（じんとうぜい）を廃止して，イスラーム教徒とヒンドゥー教徒の融和をはかった。のちにムガル帝国ではインド＝イスラーム文化が黄金期を迎える。しかし，第6代皇帝**アウラングゼーブ**はイスラーム教シーア派やヒンドゥー教を弾圧し，国内の宗教対立が激化。彼の死後，ムガル帝国の統一は崩れ去った。

B.C. **0** A.D. 　　　500 　　　1000 　　　1500 　　　2000

 オスマン帝国とサファヴィー朝の最大領域MAP

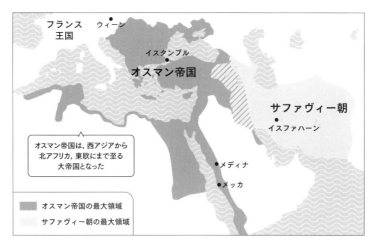

フランス王国　ウィーン

イスタンブル

オスマン帝国

サファヴィー朝

●イスファハーン

オスマン帝国は，西アジアから北アフリカ，東欧にまで至る大帝国となった

●メディナ

●メッカ

■ オスマン帝国の最大領域
░ サファヴィー朝の最大領域

🖊 **タージ=マハル**

ムガル帝国の都アグラに造営されたインド=イスラーム建築を代表する墓廟

すべて白大理石でできており，完全なシンメトリー（左右対称）

THEME 23 **POINT**

- 🖋 13世紀末，トルコ人の一派がアナトリア半島にオスマン帝国を建国した。
- 🖋 メフメト2世はビザンツ帝国を滅ぼし，首都をイスタンブルとした。
- 🖋 ムガル帝国のアクバルは北インドを統一し，中央集権体制を確立した。

| CHECK |

確 認 問 題

イスラーム世界の歴史

History of the Islamic World

01

メッカに生まれ，イスラーム教を創始したのは，
次のうち誰?

① ムハンマド
② アリー
③ サラディン

02

アッバース朝の都として建設され，唐の長安と
結ばれた国際都市は次のうちどれ?

① ダマスクス
② カイロ
③ バグダード

かつてマレー半島に成立し,
東西貿易で繁栄したイスラーム王国は,
次のうちどれ?

① マラッカ王国
② ガーナ王国
③ マリ王国

ビザンツ帝国を滅ぼし, イスタンブルを
首都とした国は, 次のうちどれ?

① オスマン帝国
② ムガル帝国
③ 奴隷王朝

答え ▷ P.188

Coffee Time
Discovery

Σ WORLD HISTORY Ξ

04

History of Europe in the Middle Ages

中世ヨーロッパの歴史

| 7000000 | 10000 | B.C. 0 A.D. | 500 | 1000 | 1500 | 2000 |

中世ヨーロッパの歴史はゲルマン人たちの大移動から始まった。
彼らの一派によって建国されたフランク王国は，
領土の相続争いから３つの王国へと分裂し，
現在のドイツ・フランス・イタリアの原形が誕生する。
また，西ヨーロッパ社会ではローマ＝カトリック教会が
次第に大きな影響力を持つようになった。
ローマ教皇の提唱によって十字軍の遠征が行われ，
聖地奪還をめざすキリスト教勢力がイスラーム勢力と激突する。
この章ではヨーロッパ社会が形成されていく過程を見てみよう。

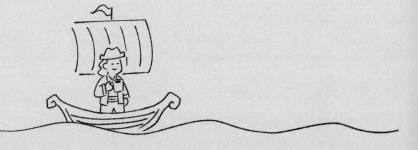

CHAPTER 04

History of Europe
in the Middle Ages

THEME
24

Coffee Time
Discovery
WORLD HISTORY

ドイツ・フランス・イタリアの
起源とは?

☕ カエサルの『ガリア戦記』に記録されたゲルマン人

インド＝ヨーロッパ語系でバルト海沿岸に原住していたのが**ゲルマン人**である。彼らは中・西欧一帯に居住していた先住民のケルト人を圧迫しつつ勢力を拡大。4世紀後半には，アジア系の**フン人**が西進して東ゴート人・西ゴート人（ゲルマン人の一派）を圧迫した。それがきっかけとなり，ゲルマン諸部族はローマ帝国領内へ大移動を開始。その後は部族ごとに王国を建てた。

☕ 西ヨーロッパ世界はこうして誕生した

それらのゲルマン諸王国のなかで最強であったのが**フランク王国**である。481年，クローヴィスは全フランク人を統合し，メロヴィング朝を建国。534年には全ガリアを統一する。宮宰であった**カール＝マルテル**は侵入してきたイスラーム教徒を撃破した。そのカール＝マルテルの子**ピピン**がローマ教皇の承認を得て建国したのがカロリング朝である。ピピンは北イタリアのランゴバルド王国を攻撃して，ラヴェンナ地方の土地を教皇に献上した。そして，ピピンの子**カール大帝**は大陸のゲルマン諸部族を統合し，西ヨーロッパをほぼ統一。800年のクリスマスの日に，ローマ教皇レオ3世はカール大帝にローマ皇帝の帝冠を与えた。こうして，ゲルマン人，ローマ帝国，キリスト教の3つの要素が融合した西ヨーロッパ世界が成立した。

☕ ドイツ・フランス・イタリアを生み出したフランク王国

カール大帝の死後，内紛が起こり，フランク王国は3つに分裂した。この3つの王国は現在のドイツ・フランス・イタリアの起源となった。

東フランク（ドイツ）ではカロリング家断絶後，ザクセン家の**オットー1世**がローマ皇帝の帝冠を得て**神聖ローマ帝国**が誕生。西フランク（フランス）ではパリ伯**ユーグ＝カペー**が王位につき，カペー朝が誕生した。

西ヨーロッパ世界の成立

```
B.C. 0 A.D.    500      1000      1500      2000
```

🌐 ゲルマン人の民族移動MAP

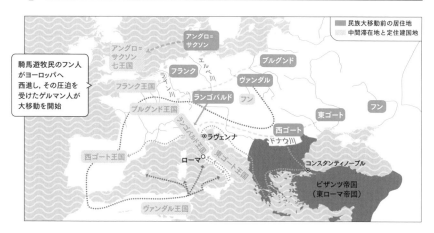

騎馬遊牧民のフン人がヨーロッパへ西進し，その圧迫を受けたゲルマン人が大移動を開始

🌐 フランク王国の分裂MAP

ヴェルダン条約（843年）

ヴェルダン条約でフランク王国が3つに分裂

メルセン条約（870年）

メルセン条約でドイツ・フランス・イタリアの原形が成立

THEME 24 **POINT**

- ✏ ヨーロッパでは，フン人の侵入によってゲルマン人の大移動が始まった。
- ✏ カール大帝はローマ教皇レオ3世からローマ皇帝の帝冠を与えられた。
- ✏ 東フランクではオットー1世が帝冠を得て，神聖ローマ帝国が誕生した。

Chapter 01 02 03 04 05 06 07 08 09

CHAPTER 04

History of Europe
in the Middle Ages

THEME

25

*Coffee Time
Discovery*

WORLD HISTORY

ヨーロッパ各地を
ヴァイキングが征服

🍺 北方に住むノルマン人が西ヨーロッパ各地を征服

　スカンディナヴィア半島などを原住地とする北方系ゲルマン人の**ノルマン人**は，商業や略奪などを目的として各地に進出し，**ヴァイキング**と呼ばれた。

　10世紀初め，首長**ロロ**の率いる一派が北フランスに侵入し，**ノルマンディー公国**が建国された。1066年には，**ノルマンディー公ウィリアム**がイングランドを征服し，**ノルマン朝**が成立。南イタリアとシチリア島に侵入したノルマン人は，1130年に両シチリア王国を建国した。また，ノルマン人一派のルーシの首長リューリクがスラヴ人地域に進出して**ノヴゴロド国**を建国し，彼の部下はさらに南下して**キエフ公国**を建国した。これがロシアの起源とされる。

🍺 主君と家臣がお互いに義務を果たす封建制度

　中世西ヨーロッパ特有の社会構造を**封建社会**という。広大な支配領域を持つ有力者を諸侯と呼び，小領主を騎士と呼んだ。主君は保護下に置いた家臣に土地（封土）を与え，家臣は主君に対して軍役と忠誠の義務があった。王・諸侯・騎士それぞれが農民を支配する領主で，この領主の所有地を荘園という。荘園において領主に隷属している農民は農奴と呼ばれる。

🍺 インノケンティウス3世の時代に教皇権は絶頂期を迎える

　ローマ＝カトリック教会は国王や貴族から土地の寄進を受けて世俗化し，腐敗・堕落した。教皇**グレゴリウス7世**は教会の改革を行い，聖職者の任命権を世俗権力から教会に取り戻そうとした。これに反発する神聖ローマ皇帝**ハインリヒ4世**との間で争いが起こり，教皇は皇帝を破門。1077年，皇帝はイタリアのカノッサ城で謝罪し，許された。これを**カノッサの屈辱**という。また，1198年に教皇となった**インノケンティウス3世**は対立する世俗君主を次々と破門し，「教皇は太陽であり，皇帝は月である」と豪語した。

B.C. 0 A.D.	500	1000	1500	2000

🌐 ヴァイキング船

ノルマン人は商業や略奪などを目的として各地に進出し、ヴァイキングと呼ばれた

✏️ 封建制度と荘園制度

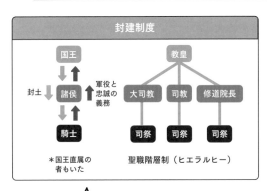

封建制度

国王 ⇅ 諸侯 ⇅ 騎士

封土 ／ 軍役と忠誠の義務

＊国王直属の者もいた

教皇 → 大司教・司教・修道院長 → 司祭・司祭・司祭

聖職階層制（ヒエラルヒー）

主君は家臣に土地（封土）を与え，家臣は主君に軍役と忠誠の義務を負うという契約関係

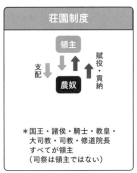

荘園制度

領主 ⇅ 農奴

支配 ／ 賦役・貢納

＊国王・諸侯・騎士・教皇・大司教・司教・修道院長すべてが領主（司祭は領主ではない）

THEME 25 POINT

◎ 北方系ゲルマン人であるノルマン人は，ヴァイキングと呼ばれた。

◎ 中世西ヨーロッパでは封建社会が成立した。

◎ ハインリヒ4世はローマ教皇に破門され，謝罪した（カノッサの屈辱）。

CHAPTER 04

History of Europe
in the Middle Ages

THEME

26

Coffee Time
Discovery

WORLD HISTORY

古代ローマの繁栄を引き継ぐ ビザンツ帝国

🍵 ビザンツ帝国と呼ばれた東ローマ帝国

395年にローマ帝国が東西に分裂したのち，西ローマ帝国は476年に滅亡した。一方，東ローマ帝国はその後も存続し，西ヨーロッパに対して優位な時代が続いた。東ローマ帝国は，首都であるコンスタンティノープルの旧名ビザンティウムにちなんで，**ビザンツ帝国**と呼ばれた。6世紀になると，ユスティニアヌス大帝の治世に一時は地中海世界を制覇し，最盛期を築いた。

🍵 1000年以上続いたビザンツ帝国の衰退

ユスティニアヌス大帝の死後，ビザンツ帝国は次第に領土を失っていく。また，皇帝レオン3世が**聖像禁止令**を発布したことで，ビザンツ皇帝とローマ教会は対立を深めた。のちに東西キリスト教会は完全に分離し，ビザンツ皇帝を首長とする**ギリシア正教会**が誕生する。11世紀後半には，イスラーム勢力の侵入に対し，ビザンツ皇帝の救援要請を受けて西ヨーロッパから十字軍遠征が開始された。しかし，ビザンツ帝国は第4回十字軍に首都を占領・略奪され，衰退。1453年，**オスマン帝国**に滅ぼされた。

🍵 東西ヨーロッパの影響を受けたスラヴ人

カルパティア山脈北方を原住地として東ヨーロッパに拡大したのが**スラヴ人**である。このうち，ロシア人やウクライナ人は東スラヴ人に含まれる。**キエフ公国**ではスラヴ化が進み，10世紀末にギリシア正教を国教とした。15世紀には**モスクワ大公国**が発展し，大公イヴァン3世はビザンツ最後の皇帝の姪と結婚して**ツァーリ（皇帝）**を自称した。南スラヴ人の最大勢力であるセルビア人はビザンツ帝国の支配下に入るが，のちに王国を建てて強国に発展した。一方，ポーランド人，チェック人などの西スラヴ人は，西ヨーロッパの影響を受けてカトリックに改宗した。

```
B.C. 0 A.D.    500        1000        1500        2000
```

🌐 ビザンツ帝国の最大領域MAP

フランク王国

●ラヴェンナ
●ローマ
コンスタンティノープル

西ゴート王国
●コルドバ
東ゴート王国

ビザンツ帝国

サ
サ
ン
朝

ヴァンダル王国

ダマスクス●
アレクサンドリア● ●イェルサレム

ビザンツ帝国はユスティニア
ヌス1世（大帝）の治世に地
中海世界を制覇した

■ 6世紀初頭の領域
■ ユスティニアヌス帝時代の最大領域

🌐 ハギア=ソフィア聖堂

ビザンツ様式を代表
するキリスト教聖堂で
あったが，のちに
イスラーム教のモスク
となった

THEME 26 POINT

- ビザンツ帝国はユスティニアヌス大帝の治世に最盛期となった。

- ビザンツ帝国は1453年にオスマン帝国に滅ぼされた。

- モスクワ大公国の大公イヴァン3世はツァーリ（皇帝）を自称した。

CHAPTER 04

History of Europe
in the Middle Ages

THEME
27

Coffee Time
Discovery
WORLD HISTORY

十字軍遠征でヨーロッパは
大きく変わった

🫖 キリスト教勢力とイスラーム教勢力の対決

　11世紀，イスラーム王朝のセルジューク朝が小アジアに進出してビザンツ帝国に迫った。救援要請を受けた教皇ウルバヌス2世は対イスラーム遠征を提唱し，聖地**イェルサレム**奪回のために**十字軍**の派遣が決定した。第1回十字軍はイェルサレムの占領に成功したが，その後再び奪われてしまう。第4回十字軍は宗教的目的を失い，ヴェネツィア商人の要求でビザンツ帝国の首都コンスタンティノープルを占領。そこに**ラテン帝国**を建設した。

🫖 十字軍の失敗で教皇権は失墜

　約200年間に合計7回行われた十字軍は結局失敗に終わり，教皇の権威は低下。諸侯・騎士も没落し，代わって国王が王権を強化した。

　フランス王**フィリップ4世**は，財政難打開のため聖職者への課税をくわだてた。1303年，これに反対した教皇**ボニファティウス8世**は，ローマ近郊のアナーニで捕らえられ憤死した。その後，フランス王は教皇庁を南フランスのアヴィニョンに移し，約70年間支配下においた。教皇庁がローマに戻ったあと，南フランスにフランス王の後押しを受けた別の教皇が立ち，互いに正統を主張する**教会大分裂（大シスマ）**が発生。教皇の権威は失墜する。

🫖 十字軍がもたらした商業の繁栄

　十字軍の影響で交通が発達し，遠隔地貿易が盛んになっていった。貨幣経済が広がり，都市人口も増加した。主な都市や地方として，北イタリアの**ヴェネツィア**や**ジェノヴァ**，ハンザ同盟の盟主である北ドイツのリューベック，フランスのシャンパーニュ地方などがある。こうした都市では，商工業者の組合である**ギルド**が自治の運営をになった。大富豪も出現し，ドイツの**フッガー家**やイタリアのフィレンツェを支配した**メディチ家**などが台頭した。

十字軍の進路MAP

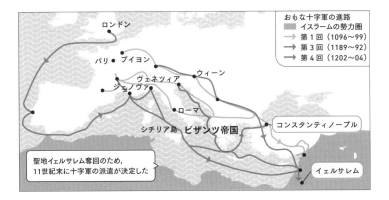

おもな十字軍の進路
- イスラームの勢力圏
- → 第1回（1096〜99）
- → 第3回（1189〜92）
- → 第4回（1202〜04）

ロンドン

パリ ブイヨン

ヴェネツィア ウィーン

ジェノヴァ

ローマ

シチリア島 ビザンツ帝国

コンスタンティノープル

イェルサレム

聖地イェルサレム奪回のため，
11世紀末に十字軍の派遣が決定した

 ## 十字軍遠征の経過

	期間	経過	主な参加者
第1回	1096〜99	聖地を奪回し，1099年，イェルサレム王国を建国	フランス諸侯
第2回	1147〜49	シリアのイスラーム勢力の攻撃に対して行われたが領土回復に失敗	神聖ローマ皇帝 フランス王
第3回	1189〜92	聖地の再奪還をめざすが，神聖ローマ皇帝は途上で死亡，イギリス・フランス王は反目。イギリス王のリチャード1世は単独でサラディンと交戦したが，講和して帰国	イギリス王 神聖ローマ皇帝 フランス王
第4回	1202〜04	宗教的目的を失い，ヴェネツィア商人の要求からコンスタンティノープルを占領し，ラテン帝国を建国	フランドル伯 ヴェネツィア総督
第5回	1228〜29	アイユーブ朝との交渉で聖地を回復するも永続せず	神聖ローマ皇帝
第6回	1248〜54	エジプトを攻撃したが失敗	フランス王
第7回	1270	チュニスを攻撃したが失敗。1291年，イェルサレム王国最後の拠点アッコンがマムルーク朝に占領された	フランス王

THEME 27 **POINT**

- キリスト教国は聖地イェルサレム奪回のため，十字軍を結成した。
- 14世紀の教会大分裂（大シスマ）によって，教皇の権威は失墜した。
- ドイツではフッガー家，イタリアではメディチ家が台頭した。

CHAPTER 04

History of Europe
in the Middle Ages

THEME

28

Coffee Time
Discovery
WORLD HISTORY

王家の戦いが続く中世ヨーロッパ

☕ ヨーロッパにおける議会政治の始まり

イギリスの**ジョン王**は，財政難から諸侯や聖職者に重税を課そうとしたが，貴族たちがこれに反抗。貴族の封建的特権などを定義した**大憲章（マグナ=カルタ）**を王に認めさせた。その後，ジョン王の子のヘンリ3世が大憲章を無視したため貴族が反乱を起こし，高位聖職者・大貴族・州の騎士と都市の代表者による議会が招集された。これがイギリス議会の起源とされる。

フランスでは12世紀後半以降，カペー朝の王権が伸張。国王**フィリップ4世**は，聖職者課税をめぐって教皇と対立した際，国内の支持を得るために聖職者・貴族・平民の代表者からなる身分制議会である**三部会**を招集した。

☕ 中世後半の西ヨーロッパ諸国はどうなった？

フランスでカペー朝が断絶しヴァロワ朝が成立すると，カペー家出身の母を持つイギリスのエドワード3世が王位継承権を主張。1339年，フランスとイギリスの間で**百年戦争**が始まる。前半はイギリス軍が優勢であったが，後半は農民の娘**ジャンヌ=ダルク**がフランス軍を勝利に導いた。その後，イギリスではランカスター家とヨーク家による王位継承問題から**バラ戦争**が勃発。その結果，テューダー家の**ヘンリ7世**が王位につき**テューダー朝**が成立した。

ドイツでは神聖ローマ帝国の皇帝権が弱体化。13世紀後半には実質的に皇帝不在の「**大空位時代**」が訪れた。その後皇帝は**ハプスブルク家**の世襲となったが，大小300の領邦が分立する状態となる。イタリアでも，神聖ローマ皇帝支持派の皇帝党とローマ教皇支持派の教皇党が対立し，分立が続いた。

イベリア半島では8世紀以来，イスラーム勢力からイベリア半島を奪還すべく，キリスト教徒が約800年にわたる**国土回復運動（レコンキスタ）**を展開した。回復地には**カスティリャ王国・アラゴン王国・ポルトガル王国**が成立。カスティリャ王国とアラゴン王国が統合され，**スペイン王国**となった。

B.C. **0** A.D.　　　500　　　　1000　　　　1500　　　　2000

7人の選帝侯MAP

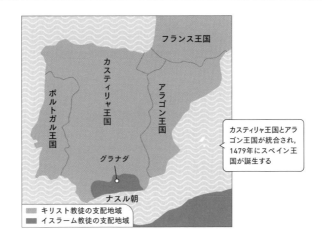

エルベ川

ライン川

ドイツ騎士団領

ブランデンブルク

ケルン　ザクセン

ポーランド王国

パリ

トリーア

マインツ　ベーメン王国

プラハ

ファルツ

神聖ローマ帝国

フランス王国

スイス

ウィーン

ハンガリー王国

ミラノ

ヴェネツィア共和国

ジェノヴァ

ヴェネツィア

教皇領

領邦国家が分立した
神聖ローマ帝国は皇
帝不在となり, 7人の
選帝侯が多数決で
皇帝を選出した

　7人の選帝侯
　ハプスブルク家領

15世紀中頃のイベリア半島MAP

フランス王国

カ
ス
ティ
リャ
王国

ポ
ル
ト
ガ
ル
王
国

ア
ラ
ゴ
ン
王
国

グラナダ

ナスル朝

カスティリャ王国とアラ
ゴン王国が統合され,
1479年にスペイン王
国が誕生する

　キリスト教徒の支配地域
　イスラーム教徒の支配地域

THEME 28 POINT

◎ ジョン王は，貴族の封建的特権を定めた大憲章（マグナ＝カルタ）を認めた。

◎ ジャンヌ＝ダルクの活躍によって，フランスは百年戦争に勝利した。

◎ カスティリャ王国とアラゴン王国が統合され，スペイン王国が成立した。

| C H E C K |
確　認　問　題
History of Europe in the Middle Ages

フン人の侵入によってヨーロッパ各地への
大移動を始めた人々は，次のうちどれ?

① ケルト人

② ゲルマン人

③ ローマ人

ジョン王の時代のイギリスで制定された，
貴族の封建的特権などを定義したきまりは
次のうちどれ?

① 大憲章(マグナカルタ)

② 権利の章典

③ 権利の請願

03

百年戦争でフランス軍を勝利に導いた人物は
次のうち誰?

① リチャード1世
② ジャンヌ=ダルク
③ エドワード3世

04

11世紀末に結成された十字軍が奪回をめざした
聖地は，次のうちどれ?

① イェルサレム
② メッカ
③ イスタンブル

答え ▷ P.188

Coffee Time
Discovery

Σ WORLD HISTORY Ӡ

05

The Formation of Modern Society and the Age of Revolution

近代社会の形成と
革命の時代

| 7000000 | 10000 | B.C. 0 A.D. | 500 | 1000 | 1500 | 2000 |

“ ヨーロッパでは「大航海時代」が始まり,
東方世界をめざす航海者たちが次々に新航路を開拓する。
文化の領域ではルネサンスと呼ばれる運動が起こり,
芸術の中心が神から人間へと移っていく。
また,ヨーロッパの主権国家において絶対王政が確立するが,
自由を求める民衆は次々と革命を引き起こした。
そして,機械や動力が急速に発達した産業革命により,
資本主義体制が確立されて近代社会の基盤が形成されていく。
この章では,さまざまな改革や革命の歴史を見ていこう。 ”

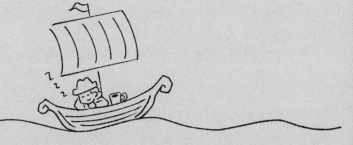

CHAPTER 05

The Formation of
Modern Society and
the Age of Revolution

T H E M E

29

Coffee Time
Discovery

WORLD HISTORY

アジアの香辛料を求めて 新航路を開拓

なぜ大航海時代が到来したのか？

15世紀から17世紀にかけての時期を**大航海時代**と呼ぶ。ヨーロッパの人々は，アジアやアメリカ大陸への新航路を開拓し，積極的に世界へ進出していった。その背景には，**マルコ＝ポーロ**の『**世界の記述**』（『**東方見聞録**』）などに刺激され，インド・東南アジア産の香辛料や中国産の絹といった東方物産の需要増大と東方への関心の高まりがあった。

ポルトガル人・スペイン人が世界各地に進出

ポルトガル商人は，15世初頭には金や奴隷を求めて西アフリカに進出していた。「航海王子」の**エンリケ**はアフリカ西岸の探検をさらに推進した。**バルトロメウ＝ディアス**はアフリカ南端の喜望峰に到達。**ヴァスコ＝ダ＝ガマ**はインド西岸のカリカットに到達し，インド航路を開いた。また，ポルトガルはブラジルを植民地とし，首都リスボンは世界商業の中心となった。

スペインでは，女王イサベルが西回り航路でアジア到達をめざす**コロンブス**を援助した。彼は1492年にバハマ諸島のサンサルバドル島へ到達し，今日のアメリカ大陸にも上陸した。さらに，1522年には**マゼラン**の船団が史上初の世界周航に成功する。同じ頃，スペイン人はメキシコや中南米への進出を本格化。アステカ王国やインカ帝国を征服した。スペインは中南米を植民地とし，征服者たちは先住民インディオを酷使して銀の採掘を行った。

大航海時代に引き起こされた2つの革命

大航海時代に新航路が開拓された結果，従来の北イタリア諸都市による貿易が衰退し，商業の中心地が地中海から大西洋岸へと移った。これを**商業革命**と呼ぶ。また，アメリカ大陸の銀がヨーロッパに大量に流入し，ヨーロッパの物価が約2〜3倍に高騰するという**価格革命**が発生した。

Now:

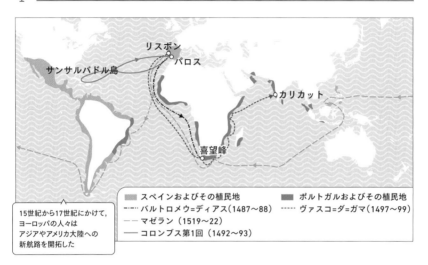

15世紀から17世紀にかけて，ヨーロッパの人々はアジアやアメリカ大陸への新航路を開拓した

- スペインおよびその植民地
- ポルトガルおよびその植民地
- バルトロメウ=ディアス（1487〜88）
- ヴァスコ=ダ=ガマ（1497〜99）
- マゼラン（1519〜22）
- コロンブス第1回（1492〜93）

コロンブスの大西洋横断航海

コロンブスはサンタ・マリア号など3隻の帆船で大西洋を横断した

THEME 29 **POINT**

- ヴァスコ=ダ=ガマはインドのカリカットに到達し，インド航路を開いた。
- コロンブスは西回り航路で，バハマ諸島のサンサルバドル島に到達した。
- スペイン人はメキシコのアステカ王国や南米のインカ帝国を征服した。

大航海時代

大航海時代の航海と探検MAP

CHAPTER 05

The Formation of
Modern Society and
the Age of Revolution

THEME
30

Coffee Time
Discovery

WORLD HISTORY

人間が芸術の主役となった，ルネサンス

☕ キリスト教会中心の価値観から人間中心の価値観へ

ルネサンスとはフランス語の**「再生」**を意味する言葉である。神や教会を中心とする中世の考え方から脱し，古代ギリシア・ローマの人間中心の考え方を復興する文化運動を指す。**ヒューマニズム**（人文主義）を根本精神としたものであり，現実主義・個人主義・合理主義などの傾向がみられる。

☕ 芸術家や思想家たちを支えたフィレンツェの大富豪

ルネサンスは14世紀頃からイタリアで展開された。背景として，①東方貿易による繁栄，②イスラーム文化の流入による影響，③ビザンツ帝国の滅亡で東方の学者が多く移住してきた，④ローマの古典文化遺産が多く存在した，などの要因がある。中心地は**フィレンツェ**で，この町の大富豪**メディチ家**は芸術家を厚く保護した。この時代を代表する作品は，文芸・絵画・彫刻・建築など，さまざまな分野にわたっている。

しかし，16世紀になるとイタリア＝ルネサンスは衰退する。要因として，大航海時代の商業革命や戦争の混乱でイタリア諸都市が没落したこと，ローマ教会が**宗教改革**に対抗して文化的規制を強化したことなどがあげられる。

☕ 中国で発明され，ヨーロッパで改良された「三大発明」

ルネサンス期には，社会に大きな影響を与えた科学や技術の進歩もみられる。ポーランドの**コペルニクス**は天体観測にもとづいて地動説を主張し，イタリア人の**ガリレイ**は望遠鏡で木星の衛星を発見。ドイツ人のケプラーは惑星運行の法則を発見した。また，ルネサンスの「三大発明」（いずれも中国で発明され，ヨーロッパで実用化）とされるのが，火薬を利用した火器である**鉄砲や大砲**，大航海を可能にした羅針盤，ドイツのグーテンベルクが改良した**活版印刷**である。

B.C. **0** A.D. 500 1000 1500 2000

📍 ルネサンス

✏️ ルネサンスのまとめ

イタリア	文学	ダンテ『神曲』…トスカナ語の大叙事詩
	絵画	レオナルド=ダ=ヴィンチ「最後の晩餐」・「モナ=リザ」
		ミケランジェロ「天地創造」・「最後の審判」
		ラファエロ「カルデリーノの聖母」・「アテネの学堂」
	思想	マキァヴェリ『君主論』…近代政治学の先駆的作品
西欧各国	ネーデルラント	エラスムス『愚神礼賛』
	フランス	モンテーニュ『随想録』(『エセー』)
	スペイン	セルバンテス『ドン=キホーテ』
	イギリス	シェークスピア『マクベス』・『オセロー』・『ハムレット』
天文学	天文学	コペルニクス…天体観測にもとづいて地動説を主張
		ガリレイ…望遠鏡で木星の衛星を観測して地動説を確信

🌐 三大発明(火器・羅針盤・活版印刷)

これらは中国に起源を持ち,ルネサンス期のヨーロッパで改良・実用化された

THEME 30 POINT

- 🖋 ルネサンスは14世紀頃からイタリアで始まった。
- 🖋 コペルニクスは天体観測にもとづいて地動説を主張した。
- 🖋 火器・羅針盤・活版印刷はルネサンスの「三大発明」と呼ばれる。

CHAPTER 05
The Formation of
Modern Society and
the Age of Revolution

THEME
31

Coffee Time
Discovery
WORLD HISTORY

宗教改革による新しい
キリスト教の登場

腐敗したカトリック教会へのプロテスタント（＝抗議者）

　教皇レオ10世は，サン＝ピエトロ大聖堂の建築資金調達のため，ドイツで「教会に寄進した者も罪が許される」として贖宥状を乱発した。1517年，ヴィッテンベルク大学の神学教授マルティン＝ルターは「九十五カ条の論題」を発表し，贖宥状の販売を厳しく批判。「魂の救済は信仰のみによる」と主張した。彼は教会から破門され，神聖ローマ皇帝カール5世に所説の撤回を求められたが応じなかった。ルターを支持する諸侯も多く，彼はザクセン選帝侯フリードリヒの保護下で『新約聖書』のドイツ語訳を完成させる。その後，ルター派諸侯と皇帝軍の戦争が始まり，1555年のアウクスブルクの和議で，諸侯にはカトリックかルター派かを選択する権利が認められた。

「新教」であるプロテスタントが各地で広がる

　同じ頃，スイスではカルヴァンが宗教改革を進めた。彼の宗教思想は「魂の救済は人間の意志とは無関係に神により予定されている」という予定説を基本とし，禁欲と勤勉を説いた。その成果としての蓄財を肯定する思想は，商工業者ら市民階級の支持を得た。カルヴァン派は，イングランドではピューリタン（清教徒），スコットランドではプレスビテリアン（長老派），フランスではユグノー，ネーデルラントではゴイセンと呼ばれた。

　イギリスでは国王ヘンリ8世が離婚問題から教皇と衝突。1534年に首長法（国王至上法）でカトリックから分離し，イギリス国教会を創設した。

「旧教」であるカトリック教会による反宗教改革

　宗教改革に対抗するカトリック教会側の改革運動を対抗宗教改革といい，禁書目録の制定，教皇権の確認，宗教裁判の強化などを行った。また，イエズス会がつくられ，海外での布教に力を入れた。

B.C. **0** A.D. 500 1000 1500 2000

宗教改革

カルヴァン派とルター派の広がりMAP

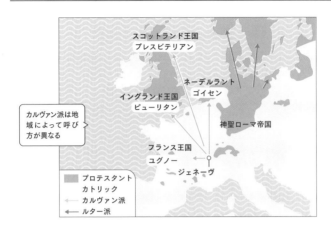

スコットランド王国
プレスビテリアン

ネーデルラント
ゴイセン

イングランド王国
ピューリタン

神聖ローマ帝国

カルヴァン派は地域によって呼び方が異なる

フランス王国
ユグノー

ジェネーヴ

プロテスタント
カトリック
カルヴァン派
ルター派

宗教改革

ルター

カルヴァン

ドイツのルターは教会による贖宥状の販売を厳しく批判した

ルターの影響を受けたカルヴァンはスイスで独自の宗教改革を行った

THEME 31 **POINT**

- ルターは「九十五カ条の論題」を発表し，贖宥状の販売を批判した。
- スイスで宗教改革を始めたカルヴァンは予定説を説いた。
- イギリスのヘンリ8世はイギリス国教会を創設した。

CHAPTER 05
The Formation of
Modern Society and
the Age of Revolution

T H E M E
32

Coffee Time
Discovery
WORLD HISTORY

独立した国家同士が
対峙する国際社会

主権を持つ国家がいくつも並び立つ時代

　16～18世紀のヨーロッパにおいて，近代国家の原型である主権国家が成立し，その形成期には国王を中心とした強力な統治体制が現れた。それが**絶対王政**である。宮廷貴族として寄生した存在となった貴族や教会と，重商主義政策のために特権が付与された特権商人とのバランスの上に王は絶対君主として君臨した。国王を支えた2つの組織が国家行政事務を担当する役人集団である官僚と，平時から設置された軍隊である常備軍であった。国王の地位は神から与えられているという**王権神授説**が思想面からこれを支えた。

スペインでは領土のどこかで常に太陽が昇っていた

　オーストリアの名門ハプスブルク家出身のスペイン王カルロス1世は1519年，神聖ローマ皇帝を兼任し，**カール5世**と称した。彼の子である**フェリペ2世**は1571年にオスマン帝国艦隊を撃破。ポルトガルを併合したスペインは広大な領土を支配し，**「太陽の沈まぬ国」**となった。その遠征艦隊は**無敵艦隊（アルマダ）**と呼ばれたが，イギリス海軍に敗れ，衰退する。

スペインに抵抗したオランダは独立国家へ

　スペイン領のネーデルラントには，ゴイセンと呼ばれるカルヴァン派の新教徒が多かった。スペイン王フェリペ2世は重税やカトリックの強制など圧政を行ったため，1568年，これに抗議して**オランダ独立戦争**が起こった。旧教徒の多い南部10州（現在のベルギー）はスペインの支配下にとどまったが，北部7州はユトレヒト同盟を結成して抵抗を続け，これをイギリスが援助。1581年には**ネーデルラント連邦共和国（オランダ）**が独立を宣言する。その後，オランダは1648年の**ウェストファリア条約**で国際的に承認された。首都アムステルダムは世界の商業・金融の中心となった。

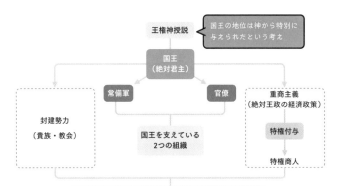

主権国家体制

| B.C. 0 A.D. | 500 | 1000 | 1500 | 2000 |

絶対王政の仕組み

王権神授説

国王の地位は神から特別に与えられたという考え

国王
（絶対君主）

常備軍　　官僚

封建勢力
（貴族・教会）

国王を支えている
2つの組織

重商主義
（絶対王政の経済政策）

特権付与

特権商人

国王を支えている2つの勢力でバランスがとれている状態

16世紀後半のヨーロッパMAP

― 神聖ローマ帝国領
　スペイン系
　ハプスブルク家
　の領土

スコットランド王国
スウェーデン王国
モスクワ大公国
デンマーク王国
イングランド王国
プロイセン公国
ポーランド王国
ポルトガル王国
神聖ローマ帝国
フランス王国
スイス自由連邦
教皇領
マドリード
スペイン王国
ナポリ王国
オスマン帝国

スペイン王フェリペ2世はポルトガルを併合して
最盛期を築いた。中南米などを含めた世界各
地のスペイン植民地とポルトガルの植民地を
合わせ，文字通り「太陽の沈まぬ国」となる

THEME 32 **POINT**

- 王権神授説は絶対王政の理論的根拠となった。
- フェリペ2世はスペインの全盛期を築いたが，イギリス海軍に敗れた。
- オランダはオランダ独立戦争に勝利し，スペインから独立した。

CHAPTER 05
The Formation of
Modern Society and
the Age of Revolution

T H E M E
33

Coffee Time
Discovery

WORLD HISTORY

宗教戦争が国家間の戦争に発展

🍺 新教と旧教の争いはまだまだ続く

　ヴァロワ朝のフランスでは，10歳で王となったシャルル9世の治世下で**ユグノー戦争**という宗教戦争が勃発する。新教徒（ユグノー）とカトリックの両派や，貴族間の対立が複雑に絡んで戦争は長期化し，1572年の**サンバルテルミの虐殺**では多数の新教徒が殺害された。その後，1589年にブルボン家の**アンリ4世**が即位して**ブルボン朝**が成立。王は**ナントの王令（勅令）**を発布して新教徒に信仰の自由を認め，ユグノー戦争は終結した。

🍺 フランス絶対王政の象徴ヴェルサイユ宮殿

　ブルボン朝第2代の**ルイ13世**は，王権に抵抗する新教徒や大貴族を抑え，身分制議会である**三部会**の招集を停止。次の**ルイ14世**の時代にフランス絶対王政は最盛期を迎え，パリ郊外に**ヴェルサイユ宮殿**が建造されて華やかな宮廷生活が営まれた。ルイ14世は「太陽王」と呼ばれ，「朕は国家なり」（「私は国家そのものである」の意）と称したとされる。彼は軍隊を強化し，侵略戦争をたびたび起こしたが，ほとんど成果がみられず財政難を招いた。

🍺 主権国家の形成が遅れていた神聖ローマ帝国はバラバラに

　ドイツでは宗教和議でルター派が認められたにもかかわらず，宗教的対立が続いていた。1618年，ベーメンで新教徒がカトリック化政策に対して反乱を起こし，**三十年戦争**が始まる。そもそもは神聖ローマ帝国内の宗教戦争であったが，各国が新教側と旧教側に立って参戦し，ヨーロッパの覇権をめぐる国際戦争へと発展した。この戦争は1648年の**ウェストファリア条約**で終結し，アウクスブルクの和議の確認，カルヴァン派の承認，オランダ・スイス独立の国際的公認などが行われ，ヨーロッパの主権国家体制は確立された。また，神聖ローマ帝国は主権を承認された約300の領邦国家に分裂した。

フランスの宗教戦争と絶対王政の確立

ユグノー戦争

サンパルテルミの虐殺が起こる

アンリ4世
▸ ユグノーからカトリックに改宗
▸ ナントの王令 ← ユグノーを認め、ユグノー戦争終結

太陽王

ルイ14世
▸ 宰相マザラン
▸ ヴェルサイユ宮殿の建造

ルイ13世
▸ 宰相：リシュリュー
▸ 三部会の停止
▸ 三十年戦争に介入

 ## ヴェルサイユ宮殿

ルイ14世の治世下では華やかな宮廷生活が営まれ、フランス絶対王政が最盛期を迎えた

THEME 33 POINT

- フランスでは，旧教徒と新教徒の対立からユグノー戦争が勃発した。
- ルイ14世はヴェルサイユ宮殿を建造し，「太陽王」と呼ばれた。
- ドイツでは，宗教的対立や各国の覇権争いから三十年戦争が起こった。

CHAPTER 05

The Formation of
Modern Society and
the Age of Revolution

THEME

34

Coffee Time
Discovery

WORLD HISTORY

イギリスで絶対君主を倒した
2つの革命

ピューリタン革命でイギリス絶対王政が崩壊

イギリスでは，女王エリザベス1世の死後，ジェームズ1世が即位してステュアート朝が成立した。彼は王権神授説をとなえて議会と対立し，カルヴァン派の**ピューリタン**を弾圧した。次の王**チャールズ1世**の時代に議会は**権利の請願**を可決。しかし，チャールズ1世は議会を解散し，以後11年間は議会を開かなかった。その後，スコットランドで反乱が起こると，戦費調達のために議会を招集。王党派と議会派の対立から内戦に突入し，**ピューリタン革命**が始まった。議会派は，王との戦いを徹底しようとする**独立派**と立憲王政をめざす**長老派**に分裂。独立派の指導者**クロムウェル**は王党派の軍を撃破し，チャールズ1世を処刑。イギリス史上，唯一国王がいない**共和政**を樹立した。クロムウェルは護国卿に就任し，軍事独裁政治を開始する。

流血なしで成し遂げたその出来事を「名誉革命」と呼ぶ

クロムウェルの死後，**チャールズ2世**が即位し，**王政復古**となった。王は即位後に専制政治を展開して，カトリック擁護政策をとった。議会は新たな法律を制定してこれに対抗。1670年代頃には，王擁護派の**トーリ党**と議会主義の**ホイッグ党**という2つの党派も生まれた。次の王である**ジェームズ2世**も絶対王政の復活をめざしたため，1688年に議会はジェームズ2世の娘メアリとその夫ウィレムを国王として招き，ジェームズ2世は亡命した（**名誉革命**）。夫妻はウィリアム3世，メアリ2世として王位につき，議会が決議した**権利の宣言**を承認。これを成文化して**権利の章典**として発布した。

メアリ2世の妹のアン女王の治世に，イングランドとスコットランドが合併して大ブリテン王国が成立。女王の死によりステュアート朝は断絶し，ハノーヴァー朝が成立した。初代ジョージ1世の時代に**責任内閣制**が確立し，「王は君臨すれども統治せず」の原則が打ち立てられた。

イギリス革命

```
B.C. 0 A.D.        500        1000       1500       2000
```

イギリス革命（ピューリタン革命・名誉革命）の流れまとめ

ジェームズ1世
▸ 王権神授説を主張し議会と対立
▸ ピューリタン弾圧

チャールズ1世
▸ 議会が権利の請願を提出
▸ スコットランドの反乱
▸ 議会を招集

王党派 ◀▶ 議会派

ピューリタン革命
議会派
独立派　長老派
▸ 独立派の指導者クロムウェルが王党派を破り，国王を処刑

ジェームズ2世
▸ カトリックと絶対王政の復活をめざす
▸ 議会はオランダ総督ウィレムとその妻メアリを王に招く
▸ ジェームズ2世の亡命

名誉革命

チャールズ2世
▸ 王政復古で専制化
▸ 議会が法律で対抗
▸ 政党の起源…トーリ党とホイッグ党

共和政の成立
▸ クロムウェルが護国卿に就任

軍事独裁政治を行う

議会政治の確立
▸ ウィリアム3世，メアリ2世即位
▸ 権利の章典
▸ 責任内閣制成立

議会に対して責任を負う責任内閣制が成立し，「王は君臨すれども統治せず」の原則が打ち立てられた

THEME 34　**POINT**

◎ チャールズ1世の治世にピューリタン革命が起こった。

◎ 王党派を破ったクロムウェルは護国卿となり，軍事独裁政治を行った。

◎ イギリスでは名誉革命が起こり，権利の章典が発布された。

CHAPTER 05

The Formation of
Modern Society and
the Age of Revolution

THEME
35

Coffee Time
Discovery

WORLD HISTORY

出遅れた国々で進む
「上からの近代化」

🍺 バラバラだったドイツで強国になったプロイセン

　三十年戦争後に分立状態となっていたドイツでは，ホーエンツォレルン家の**プロイセン王国**が台頭してオーストリアに次ぐ強国となる。第2代のフリードリヒ＝ヴィルヘルム１世は絶対王政の基礎を確立。第3代**フリードリヒ２世**は大王と呼ばれ，絶対王政を確立した。また，彼は**オーストリア継承戦争**（1740〜48年）や**七年戦争**（1756〜63年）でオーストリアなどと戦い，資源の豊富なシュレジエン地方を確保した。

🍺 啓蒙専制君主が進める近代化政策

　東ヨーロッパでは市民層の成長が不十分で，「上からの近代化」が必要であった。こうした国の君主を**啓蒙専制君主**という。プロイセンのフリードリヒ２世はフランスの啓蒙思想家**ヴォルテール**と親交を結び，産業育成や司法改革を進めた。しかし，その体制は自由農民を農奴化する農場領主制であり，非近代的性格の強いものであった。一方オーストリアでは，大公**マリア＝テレジア**がプロイセンと戦う過程で近代化改革を推進し，宿敵だったフランスと同盟を結ぶ。その子である**ヨーゼフ２世**も啓蒙専制君主として改革を進めたが，既存の特権を守ろうとする貴族層や領内異民族の反抗で挫折した。

🍺 西ヨーロッパに学びながら近代化を進めるロシア

　ロシアでは1613年にミハイル＝ロマノフが皇帝に選ばれ，ロシア最後の王朝である**ロマノフ朝**が成立した。17世紀後半に即位した**ピョートル１世**（大帝）は自ら西ヨーロッパを視察し，軍備拡張や商工業保護など西欧化政策を推進。18世紀後半に即位した女帝**エカチェリーナ２世**はヴォルテールとの文通を通じて助言を受け，啓蒙専制君主として近代化政策を推進した。しかし，南ロシアの農民反乱を鎮圧した後は，反動化して農奴制を強化した。

啓蒙専制主義　各国の流れまとめ

プロイセン	オーストリア	ロシア
▸諸侯の分立状態	▸ハプスブルク家領（1278〜）	▸ロマノフ朝成立（1613） 初代ミハイル=ロマノフ
	▸ハプスブルク家が神聖ローマ皇帝位を世襲（1438〜）	▸ピョートル1世（位1682〜1725）
▸プロイセン王国成立（1701）		
▸フリードリヒ2世 （位1740〜86）		西欧を視察
大王と呼ばれる		
	▸マリア=テレジア（位1740〜80）	▸北方戦争（1700〜21年）
勝　オーストリア継承戦争（1740〜48）　負		
	▸外交革命　宿敵フランスと同盟	
勝　七年戦争（1756〜63）　負		▸エカチェリーナ2世（位1762〜96）
	▸ヨーゼフ2世（位1765〜90）	
第1回ポーランド分割…ロシア・プロイセン・オーストリアがそれぞれ国境に近いポーランド領を奪う（1772）		

THEME 35 **POINT**

🖉 プロイセンはオーストリア継承戦争や七年戦争でオーストリアに勝利した。

🖉 マリア=テレジアの子ヨーゼフ2世は，啓蒙専制君主として改革を進めた。

🖉 ロマノフ朝のピョートル1世（大帝）は西欧化政策を推進した。

CHAPTER 05
The Formation of
Modern Society and
the Age of Revolution

THEME
36

Coffee Time
Discovery
WORLD HISTORY

アジア・アメリカの支配権を
めぐる争い

🍵 アジアで確立されていた貿易圏にヨーロッパ諸国が進出

ポルトガルは1510年にインドの**ゴア**を占領して拠点とし，スリランカ・マラッカ・モルッカ諸島を支配した。また，中国貿易の拠点として**マカオ**にも進出し，1543年の種子島漂着後には日本とも交易を行っている。スペインはフィリピンを領有し，**マニラ**を拠点にアジア貿易を展開した。オランダは1602年に**東インド会社**を設立し，ジャワ島の**バタヴィア**（現ジャカルタ）に拠点を置いた。さらに，インドネシアからイギリスを排除し，マラッカ・スリランカ・モルッカ諸島をポルトガルから奪い，香辛料貿易を支配した。鎖国体制下の日本とも長崎で交易を継続している。イギリスは1600年に東インド会社を設立。**マドラス・ボンベイ・カルカッタ**を拠点にインドの綿織物を輸入し，インド経営に力を注いだ。フランスは17世紀初頭に東インド会社を設立したが経営は不振。ルイ14世時代の1664年の経営再建後はインドのポンディシェリなどに拠点を建設した。

🍵 ヨーロッパ諸国がアメリカ大陸を奪い合う

アメリカ大陸では，スペインがラテンアメリカの大半を植民地として，開発した鉱山で大量の金銀を独占した。ポルトガルはブラジルを領有し，砂糖中心のプランテーション経営を行った。オランダは1621年に西インド会社を設立し，北アメリカ東岸に中心都市ニューアムステルダムを建設した。フランスは**ケベック**を中心都市としてカナダに進出。ルイ14世の時代には**ルイジアナ**を獲得している。イギリスは17世紀初めに北米東海岸最初の植民地である**ヴァージニア**を建設。戦争でオランダから奪ったニューアムステルダムをニューヨークと改名し，18世紀前半までに13の植民地を形成した。16世紀以降，ラテンアメリカではアフリカから輸入した黒人奴隷が使用され，のちに北アメリカ大陸や西インド諸島でも大量の黒人奴隷が使役された。

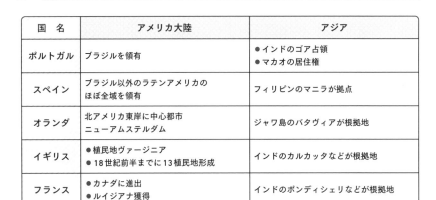

| | | | |
| B.C. 0 A.D. | 500 | 1000 | 1500 | 2000 |

✏ 西ヨーロッパ諸国の植民活動まとめ

国　名	アメリカ大陸	アジア
ポルトガル	ブラジルを領有	● インドのゴア占領 ● マカオの居住権
スペイン	ブラジル以外のラテンアメリカの ほぼ全域を領有	フィリピンのマニラが拠点
オランダ	北アメリカ東岸に中心都市 ニューアムステルダム	ジャワ島のバタヴィアが根拠地
イギリス	● 植民地ヴァージニア ● 18世紀前半までに13植民地形成	インドのカルカッタなどが根拠地
フランス	● カナダに進出 ● ルイジアナ獲得	インドのポンディシェリなどが根拠地

🌐 17世紀半ばのヨーロッパ諸国の植民地MAP

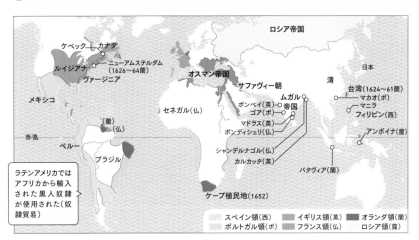

ラテンアメリカではアフリカから輸入された黒人奴隷が使用された(奴隷貿易)

THEME 36 **POINT**

● スペインはフィリピンのマニラを拠点に，アジア貿易を展開した。

● イギリスは東インド会社を設立し，インド経営に力を注いだ。

● イギリスは17世紀初めに，北米東海岸最初の植民地ヴァージニアを建設した。

CHAPTER 05
The Formation of
Modern Society and
the Age of Revolution

THEME
37

Coffee Time
Discovery
WORLD HISTORY

技術革新の連鎖が
世界を変えた，産業革命

☕ 産業革命が最初にイギリスで起こったのはなぜ？

　産業革命がイギリスで発生した背景として，いくつかの要素が指摘されている。毛織物工業などの工場制手工業が発達し，資本が蓄積していたこと。海上覇権戦争や植民地争奪戦に勝利し，広大な海外市場を確保したこと。**第2次囲い込み運動**で農民が都市に流入し，安価な労働力となったこと。石炭・鉄鉱石などの地下資源や水力資源が豊富であったこと。「科学革命」（万有引力の発見や気体力学の基礎の確立）の中心国であったことなどである。

☕ 綿工業の技術革命から動力革命・交通革命へ

　イギリスの産業革命は，マンチェスターを中心に綿工業の分野から始まった。1733年の飛び杼の発明で綿織物の生産性が急激に向上し，原料の綿糸が不足する状態となる。それが紡績機の発明を促し，18世紀後半には多軸紡績機，水力紡績機，ミュール紡績機が登場した。機械の動力の面では，蒸気を動力にした**蒸気機関**を発明家**ワット**が改良し，紡績機の動力として利用されるようになる。19世紀に入ると，アメリカの技師**フルトン**が**蒸気船**を発明し，イギリスの技師**スティーヴンソン**が**蒸気機関車**を製作した。

☕ 産業革命は多くの社会問題も生み出した

　産業革命で圧倒的な工業力を得たイギリスは**「世界の工場」**と呼ばれた。やがて，産業革命はベルギーやフランスなど，他国にも波及していく。

　この過程で資本家が労働者を雇って利潤を追求する**資本主義体制**が確立した。一方で，都市に人口が集中し，スラム化や伝染病の流行など，深刻な都市問題が発生した。また，労働者は不衛生な生活環境のもとで長時間・低賃金労働を強いられた。そこで，労働条件の改善を目的として労働組合が結成され，労働問題や社会問題の解決をめざす**社会主義**思想が生まれた。

産業革命における主な発明

部　　門	年　代	発　明　者	発　　明
紡　　績	1764頃	ハーグリーヴズ	ジェニー紡績機（多軸紡績機）
	1769	アークライト	水力紡績機
織　　布	1733	ジョン=ケイ	飛び杼
	1785	カートライト	力織機
蒸気機関	1769	ワット	蒸気機関の大幅な改良
製　　鉄	1709	ダービー（父）	コークス製鉄法を発明
蒸　気　船	1807	フルトン	世界最初の外輪式蒸気船
蒸気機関車	1825	スティーヴンソン	蒸気機関車の実用化

 ## 蒸気機関車ロコモーション号

1825年にスティーヴンソンが製作した世界初の商用蒸気機関車。ストックトン・ダーリントン間の17 kmの区間

THEME 37 **POINT**

- 🖊 18世紀前半，世界で初めての産業革命がイギリスで起こった。
- 🖊 ワットが改良した蒸気機関は紡績機などの動力として利用された。
- 🖊 産業革命によって資本主義体制が確立したが，労働問題が深刻化した。

CHAPTER 05

The Formation of
Modern Society and
the Age of Revolution

T H E M E

38

Coffee Time
Discovery

WORLD HISTORY

アメリカ独立革命で
自由を勝ち取った13の植民地

迫害を逃れた新教徒たちがアメリカ大陸へ

　北アメリカ東海岸では，18世紀前半までにイギリスによる13植民地が成立した。最初に建設されたのは1607年のヴァージニアで，1620年にはイギリス本国で迫害されたピューリタンたちがプリマスに上陸している。13植民地の最後が1732年建設のジョージアであった。これらの植民地は本国から一定の自治を認められ，**植民地議会**が設置されていた。

イギリス本国に反発した植民地側が独立をめざす

　イギリスは1763年，フランスとの植民地戦争に勝利したが負債を抱え，13植民地への課税を強化した。しかし，本国議会が制定した印紙法や茶法に対して植民地側が反発。1773年の**ボストン茶会事件**で両者の関係は悪化する。1774年，植民地側はフィラデルフィアで大陸会議を開いて本国に抗議。翌年4月には武力衝突が起こり，アメリカ独立戦争が始まった。

　植民地側は総司令官に**ワシントン**を任命。1776年，トマス＝ペインが『コモン＝センス（常識）』を著して独立の必要性を訴え，大きな反響を呼ぶ。同年7月4日，13植民地の代表は**独立宣言**を発表した。この宣言は**ロック**の自然法思想の影響を受け，人間の自由・平等などの基本的人権，圧制に対する革命権を主張したものである。フランスやスペインがアメリカ側に立って参戦。イギリスは国際的に孤立し，植民地側が勝利した。

ついにアメリカ合衆国が誕生！

　1783年，**パリ条約**でイギリスはアメリカの独立を承認し，広大なミシシッピ川以東のルイジアナを割譲することになった。1787年にはフィラデルフィアの憲法制定会議で，世界初の近代的成文憲法として**合衆国憲法**が制定された。合衆国憲法の主な特徴は，**人民主権・連邦主義・三権分立**である。

ボストン茶会事件

> イギリス本国が制定した茶法に反発し，植民地側の急進派グループが積荷の茶箱を海に投げ捨てた

独立時の13州とアメリカ合衆国MAP

イギリス領カナダ

スペイン領 (1763〜1800)

1783年，パリ条約でイギリスより取得

ミシシッピ川

> 1776年7月4日，13植民地の代表がイギリス本国からの独立を宣言した

スペイン領（1763〜83 イギリス領）

パリ条約による合衆国の領土

1776年に独立を宣言した13州

① マサチューセッツ　⑧ ニューヨーク
② ニューハンプシャー　⑨ ペンシルヴェニア
③ ロードアイランド　⑩ ヴァージニア
④ コネティカット　⑪ ノースカロライナ
⑤ ニュージャージー　⑫ サウスカロライナ
⑥ デラウェア　⑬ ジョージア
⑦ メリーランド

THEME 38　POINT

◎ アメリカ独立戦争では，植民地側の総司令官にワシントンが就任した。

◎ 13植民地の代表は，基本的人権をもりこんだ独立宣言を発表した。

◎ 合衆国憲法は，人民主権・連邦主義・三権分立を特徴としている。

CHAPTER 05

The Formation of
Modern Society and
the Age of Revolution

THEME

39

Coffee Time
Discovery

WORLD HISTORY

民衆蜂起が封建制度を
打ち破った，フランス革命

🍵 フランスで第三身分の不満が高まる

　革命前のフランスの政治・社会体制を**アンシャン＝レジーム（旧制度）**という。第一身分（聖職者）・第二身分（貴族）は特権身分で，人口のわずか2％。第三身分（平民）は全人口の98％を占め，政治的な権利はなく，税負担により国家財政を支えた。そのなかで商工業者など富を蓄えた有産市民層（ブルジョワ）は，その実力に見合う権利がないことに不満を感じ，そこに啓蒙思想が広まる。また，ルイ14世時代の外征と浪費，アメリカ独立戦争への参戦などでフランスの財政は破綻。ルイ16世は特権身分への課税など改革を試みたが，貴族らの抵抗で失敗した。1789年5月，**三部会**が招集されたが議決方法をめぐり対立。第三身分の代表は三部会を離脱して**国民議会**を結成し，憲法制定まで解散しないことを誓った。

🍵 革命によって国王が処刑され，共和政へ

　1789年7月14日，議会の武力弾圧を図った国王にパリの民衆が反発。専制政治の象徴であった**バスティーユ牢獄**を襲撃し，革命が勃発した。国民議会は封建的特権の廃止を宣言し，8月26日に**人権宣言**を採択。10月には民衆がルイ16世一家をパリに連行する**ヴェルサイユ行進**が発生した。

　1791年にフランス初の憲法が制定されて国民議会は解散し，代わって立法議会が開かれた。1792年には男性普通選挙による国民公会が成立し，共和政の樹立を宣言（**第一共和政**）。急進共和主義の**ジャコバン派**が勢力を増し，翌年にルイ16世は処刑された。**ロベスピエール**を中心とするジャコバン派政権は，封建地代の無償廃止など民衆の求める改革を徹底させた。また，急進的政策を進める一方，反対派を多数処刑する**恐怖政治**を行った。その後，経済的自由を求める市民層や保守化した農民層の間で不満が高まり，1794年のクーデタでロベスピエールらが処刑され，恐怖政治は終わった。

アンシャン=レジーム（旧制度）のまとめ

身　分	人口（約2500万）の比率	土地所有の比率	その他
第一身分（聖職者）	0.5%（約12万人）	10%	● 官職独占 ● 免税の特権
第二身分（貴族）	1.6%（約40万人）	20%	
第三身分（平民）	98% ⟨ 市民 13% / 農民 85%	市民 25〜30% 農民 35〜40%	重税と封建的搾取

 ## バスティーユ牢獄の襲撃

王政に反発したパリ市民は武器弾薬を求め、それらがあると噂されたバスティーユ牢獄を襲撃した

THEME 39 **POINT**

● パリの民衆がバスティーユ牢獄を襲撃して，フランス革命が始まった。

● 国民議会は封建的特権の廃止を宣言し，人権宣言を採択した。

● ジャコバン派のロベスピエールは恐怖政治を行ったが，処刑された。

CHAPTER 05
The Formation of
Modern Society and
the Age of Revolution

THEME
40

Coffee Time
Discovery
WORLD HISTORY

革命の精神を広めた英雄ナポレオン

ナポレオンが独裁政権を樹立してフランス革命は終結

　ロベスピエールが処刑された翌年，フランスでは1795年憲法が制定され，5人の総裁による総裁政府が樹立された。社会不安が続くこの時代に登場した軍事指導者が**ナポレオン＝ボナパルト**である。彼はイタリア遠征やエジプト遠征などで名声を確立していく。そして1799年，帰国後にブリュメール18日のクーデタを決行して総裁政府を倒し，3人の統領からなる統領政府を樹立。ナポレオン自ら第一統領に就任し，革命の終了を宣言した。

軍事独裁体制を築いてヨーロッパ大陸の大半を支配

　1801年，ナポレオンは革命以来対立関係にあったローマ教皇と和解し，その翌年にはイギリスと講和。内政面では，1804年に民法典（**ナポレオン法典**）を制定し，近代市民社会の法原理を確立した。ナポレオンは終身統領となっていたが，国民投票の圧倒的支持で皇帝に即位し，**ナポレオン1世**と称した（第一帝政）。その後，イギリスとの戦いには敗北したが，ロシア・オーストリア両軍を撃破。西南ドイツ諸国にライン同盟を結成させて神聖ローマ帝国を解体し，プロイセン軍を破ってワルシャワ大公国を建国させた。

反ナポレオン運動の展開でナポレオンは没落する

　ナポレオンの征服は，被征服地に封建的支配の改革を促し，フランス革命の精神を広める一方，外国支配への抵抗の精神や民族意識をも高めた。イベリア半島ではフランスの侵攻に対する**スペイン反乱**が発生。プロイセンでは，哲学者フィヒテが「ドイツ国民に告ぐ」という講演で国民の民族意識を鼓舞した。1813年，ナポレオンはプロイセン・オーストリア・ロシアの同盟軍に敗北し，エルバ島に幽閉される。その後，エルバ島を脱出して皇帝に復位したが，**ワーテルローの戦い**で大敗し，セントヘレナ島に流刑となった。

ナポレオンのヨーロッパ支配MAP

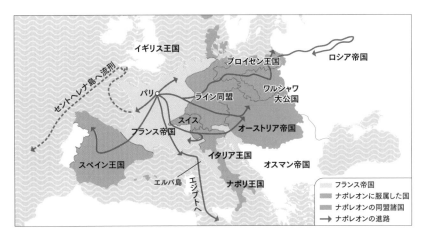

フランス帝国
ナポレオンに服属した国
ナポレオンの同盟諸国
→ ナポレオンの進路

ナポレオン

コルシカ島出身の
軍人ナポレオン＝
ボナパルトは，クーデタ
で総裁政府を倒し，
独裁権を握った

THEME 40　**POINT**

- ナポレオンはブリュメール18日のクーデタで第一統領に就任した。
- ナポレオンは，民主的な内容を含んだ民法典（ナポレオン法典）を制定した。
- ナポレオンは国民投票で皇帝に即位し，ナポレオン1世と称した。

| CHECK |

確 認 問 題

近代社会の形成と革命の時代

The Formation of Modern Society and the Age of Revolution

01

スペイン女王イサベルの支援を受けて
西回り航路でインドをめざし,
今日の西インド諸島に到達した人物は
次のうち誰?

① マゼラン

② コロンブス

③ ヴァスコ=ダ=ガマ

02

ヴェルサイユ宮殿を建造し,
フランス絶対王政の全盛期を築いたのは
次のうち誰?

① ルイ13世

② ルイ14世

③ ルイ16世

03

アメリカ独立戦争の際に総司令官となり，
アメリカ独立後に初代大統領に就任したのは
次のうち誰?

① ワシントン
② ジェファソン
③ クロムウェル

04

フランス革命のときに国民議会が採択した，
法の下の平等や国民主権をうたった宣言は
次のうちどれ?

① 人権宣言
② 権利の章典
③ 独立宣言

答え ▷ P.188

06

Europe and America in the 19th Century

19世紀の
ヨーロッパとアメリカ

| 7000000 | 10000 | B.C. 0 A.D. | 500 | 1000 | 1500 | 2000 |

"

ナポレオン戦争後のヨーロッパでは,
すべてを革命前の保守的な世界に戻すべく,
各国の首脳がヨーロッパ秩序の再編を試みた。
しかし,フランスでは圧政に反発した民衆の武装蜂起が続き,
自由主義やナショナリズムが活性化していく。
イギリスでも自由主義的改革が進んで議会政治が確立し,
分裂状態にあったイタリアやドイツでは統一国家が成立する。
一方,アメリカ合衆国では奴隷制をめぐって内戦が勃発した。
この章では,欧米諸国が近代国家として発展する過程を追ってみよう。

"

CHAPTER 06
Europe and
America in
the 19th Century

THEME
41

0
Coffee Time
Discovery

WORLD HISTORY

保守的な世界へ逆戻りする
ウィーン体制のヨーロッパ

個人の自由や新国家の独立を抑圧するウィーン体制

　フランス革命とナポレオン戦争を経て，ヨーロッパの秩序を再編する国際会議として1814年から開催されたのが**ウィーン会議**であった。オーストリア外相**メッテルニヒ**を議長とし，ヨーロッパ各国の支配者が参加した。フランス外相タレーランが唱えた，すべてを革命前に戻すという正統主義を基本原則として大国間の勢力均衡を図ったが，各国の利害対立で紛糾。結果的には**ウィーン議定書**が調印され，**ウィーン体制**が成立する。フランス，スペインでブルボン朝が復活し，ロシア皇帝がポーランド国王を兼任した。イギリスはセイロン島とケープ植民地をオランダから獲得し，オランダはベルギーを，オーストリアは北イタリアを獲得するなど，領土変更がなされた。

　ウィーン体制の維持のため，ロシア皇帝アレクサンドル1世によって**神聖同盟**が提唱され，1815年にはイギリス・オーストリア・プロイセン・ロシアの間で**四国同盟**が結ばれた。ドイツ，イタリア，スペインなどで自由主義・ナショナリズムの実現を求める革命運動が起こるが，いずれも鎮圧された。

自由主義・ナショナリズムの広がりが各国の独立を導く

　ウィーン体制の動揺はラテンアメリカとギリシアの独立という形で始まった。1804年に**ハイチ**がフランスから独立し，史上初の黒人共和国が誕生。南米では植民地生まれの白人（クリオーリョ）が独立運動の中心となり，次々と独立が達成された。1823年，アメリカはラテンアメリカ諸国の独立を支持するため，アメリカ大陸とヨーロッパの相互不干渉を表明。イギリスもラテンアメリカ市場の拡大をねらって独立を承認した。また，1821年にはギリシアがオスマン帝国からの独立をめざして**ギリシア独立戦争**を開始。イギリス・フランス・ロシアはバルカン半島などでの利害からギリシアを支援し，1829年にギリシアは独立を達成した。

🌐 ウィーン会議(「会議は踊る，されど進まず」)

> ウィーン会議では舞踏会などが開かれたが利害対立から審議が進まず，このような風刺画が描かれた

🌐 ウィーン体制下のヨーロッパMAP

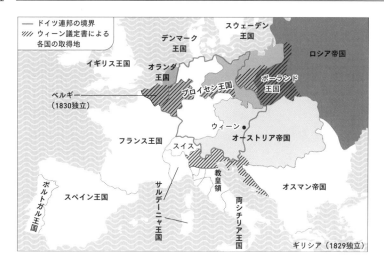

--- ドイツ連邦の境界
//// ウィーン議定書による各国の取得地

スウェーデン王国
デンマーク王国
ロシア帝国
イギリス王国
オランダ王国
ポーランド王国
プロイセン王国
ベルギー（1830独立）
フランス王国
スイス
ウィーン●
オーストリア帝国
ポルトガル王国
スペイン王国
サルデーニャ王国
教皇領
両シチリア王国
オスマン帝国
ギリシア（1829独立）

THEME 41　POINT

🖉 ナポレオン戦争後，ヨーロッパの秩序再編のためにウィーン会議が開かれた。

🖉 ウィーン会議は，すべてを革命前に戻すという正統主義のもと進められた。

🖉 アレクサンドル1世の提唱によって，神聖同盟が結ばれた。

CHAPTER 06
Europe and
America in
the 19th Century

THEME
42

Coffee Time
Discovery
WORLD HISTORY

七月革命・二月革命・イギリスの自由主義的改革で自由を求める民衆

七月革命の成功で自由主義・ナショナリズムが活性化

フランスではブルボン朝最後の王シャルル10世が反動政治を進めた。シャルル10世は国民の不満をそらすため1830年にアルジェリア出兵を強行し，同年議会を未招集のまま解散した。反発したパリの民衆は武装蜂起し，国王は亡命した（**七月革命**）。これによりオルレアン家の**ルイ＝フィリップ**が即位し，**七月王政**が成立した。七月革命は周辺諸国にも影響を与え，ベルギーがオランダに対抗して独立を宣言し，1831年に立憲王国となった。西欧諸国は自由主義的性格を強め，ウィーン体制は大きく動揺した。

ナポレオン1世の甥による第二帝政が始まる

七月王政では，1848年2月，普通選挙を要求する選挙法改正運動の集会を政府が禁止した。これに対し，パリの民衆が武装蜂起して国王ルイ＝フィリップは亡命した（**二月革命**）。その結果，臨時政府が成立し，共和政（**第二共和政**）へと移行する。臨時政府にはルイ＝ブランら社会主義者も参加したが，農民らは社会主義政策で土地を失うことを恐れ，1848年4月の普通選挙で社会主義者は大敗。同年12月の大統領選挙ではナポレオン1世の甥の**ルイ＝ナポレオン**が当選する。その後，彼はクーデタで独裁権を握り，国民投票で皇帝となり**ナポレオン3世**と称した。こうして**第二帝政**が始まった。

1820年代以降のイギリスでは自由主義的改革が進む

イギリスでは，1820年代に労働組合の結成が認められ，審査法の廃止とカトリック教徒解放法の成立により宗教的差別が撤廃された。また，1830年代に**第1回選挙法改正**で腐敗選挙区が廃止され，男性普通選挙の実現をめざす**チャーティスト運動**が活発化していく。さらに，1840年代には穀物法と航海法が廃止され，自由貿易主義が確立した。

| B.C. | **0** | A.D. | 500 | 1000 | 1500 | | 2000 |

 ## 七月革命と二月革命

	フランスでの出来事	ヨーロッパへの影響
七月革命	▶ シャルル10世（ブルボン朝）が七月革命でイギリスへ亡命	▶ オランダの支配下からベルギーが独立 ▶ ポーランドで反乱 ▶ イタリアでカルボナリ蜂起
二月革命	**七月王政** ルイ＝フィリップ ↓ ▶ 二月革命でルイ＝フィリップがイギリスに亡命 ↓ **第二共和政**	▶ オーストリアで三月革命 ↓ **ウィーン体制崩壊** ▶ ドイツでも三月革命 ▶ ベーメン民族運動 ▶ ハンガリー民族運動 ｝「諸国民の春」

ドラクロワの「民衆を導く自由の女神」

1830年にフランスで起こった七月革命を描いた作品で, 自由を象徴する女神が民衆を率いている

THEME 42　POINT

- シャルル10世に対する民衆の武装蜂起が起こり, 七月王政が成立した。
- ルイ＝ナポレオンはナポレオン3世となり, 第二帝政が始まった。
- イギリスでは, 男性普通選挙の実現をめざすチャーティスト運動が活発化した。

CHAPTER 06

Europe and
America in
the 19th Century

THEME

43

Coffee Time
Discovery

WORLD HISTORY

19世紀後半の大英帝国の
隆盛と新たな統一国家

大英帝国の黄金時代といわれたヴィクトリア女王の治世

　19世紀，イギリスは**ヴィクトリア女王**（在位1837~1901）の治世下で繁栄の絶頂を迎え，**保守党**と**自由党**の二大政党による議会政治が完成した。自由党のグラッドストン内閣の下では，公立学校の増設や労働組合の合法化など，内政改革が進められた。また，保守党のディズレーリ内閣は，**スエズ運河会社**の株の買収や**インド帝国**の成立など，対外膨張政策を推進した。

イタリアがサルデーニャ王国の下で統一される

　分裂状態が続いていたイタリアでは，サルデーニャ王**ヴィットーリオ=エマヌエーレ2世**が**カヴール**を首相に登用し，イタリア統一を進めた。1859年には**ナポレオン3世**と秘密同盟を結んでオーストリアと開戦。ロンバルディアを獲得し，中部イタリアを占領した。さらに，政治結社「青年イタリア」の革命家**ガリバルディ**が南部の両シチリア王国を占領し，サルデーニャ王に献上。こうして1861年に**イタリア王国**が成立した。イタリア王国はヴェネツィアを獲得し，ローマ教皇領を占領するが，トリエステ・南チロルなど「未回収のイタリア」と呼ばれる地域はオーストリアに残った。

プロイセンが統一したドイツは帝国となった

　ドイツでは，プロイセン王**ヴィルヘルム1世**が**ビスマルク**を首相に任命してドイツ統一を進めた。ビスマルクは議会の反対を押し切り，**鉄血政策**と呼ばれる軍備拡張政策を強行。1866年，プロイセンはシュレスヴィヒ・ホルシュタイン両州帰属問題から勃発した**プロイセン=オーストリア戦争**に圧勝し，翌年，**北ドイツ連邦**を成立させた。続く**プロイセン=フランス戦争**では皇帝ナポレオン3世を捕虜とし，アルザス・ロレーヌを獲得した。1871年にはヴィルヘルム1世が皇帝となり，**ドイツ帝国**が成立する。

B.C. 0 A.D.	500	1000	1500	2000

イタリア統一MAP

凡例:
- 1859年のサルデーニャ領
- 1860年フランスに割譲
- 1859〜60年に併合
- ガリバルディが占領した両シチリア王国
- 1866〜70年に併合
- 「未回収のイタリア」

> 革命家ガリバルディが両シチリア王国をサルデーニャ王に献上し, イタリア王国が成立した

ドイツ統一MAP

凡例:
- 1866年以前のプロイセン領
- 1866年以後のプロイセン領
- 1867年成立の北ドイツ連邦の南界
- 1871年成立のドイツ帝国の境界

> いくつもの領邦国家が分立するドイツでは, プロイセン王が統一を進め, ドイツ帝国が誕生した

THEME 43 POINT

- イギリスでは, 保守党と自由党の二大政党による議会政治が完成した。
- サルデーニャ王国が中心となり, イタリア統一が進められた。
- プロイセンのビスマルクは「鉄血政策」のもと, ドイツ統一を進めた。

CHAPTER 06

Europe and
America in
the 19th Century

THEME
44

Coffee Time
Discovery
WORLD HISTORY

近代化の遅れた
19世紀ロシアの改革

🥤 ロシアで試みられた「上からの」改革と「下からの」改革

19世紀初めのロシアはいまだ農奴制が強固で，皇帝専制政治（ツァーリ
ズム）を維持していた。1825年には，ニコライ1世の即位に反対し，農奴
制の廃止などを求めて青年将校らが蜂起したが鎮圧された。1853年，ロシ
アはオスマン帝国内のギリシア正教徒保護を名目に**クリミア戦争**を起こす。
しかし，イギリス・フランスがオスマン帝国側で参戦し，敗北したロシアは
近代化を迫られた。皇帝**アレクサンドル2世**は1861年に**農奴解放令**を発布
するなど「上からの」近代化改革を進めるが，ポーランド反乱を機に反動化。
スラヴ民族統一をめざす**パン=スラヴ主義**を利用して南下を進めようとした。

その一方で，ロシアでは知識人階級（インテリゲンツィア）を中心に，「下
からの」改革として社会主義的改革運動が行われた。彼らは「ヴ=ナロード
（人民の中へ）」の標語を掲げ，農村での啓蒙活動に努めたことから**ナロード
ニキ**（人民主義者）と呼ばれる。この運動は挫折し，人々の間にはアナーキ
ズム（無政府主義）やニヒリズム（虚無主義）が広がった。

☕ 失敗を繰り返すロシアの南下政策

オスマン帝国支配下の諸民族は，19世紀前半より独立運動を展開し，利
害関係を持つ列強がこれに干渉した。この国際問題を西欧列強の側から「**東
方問題**」と呼ぶ。特にロシアは**南下政策**推進のため，しきりにこの問題にか
かわった。1831年に**エジプト=トルコ戦争**が始まると，ロシアはオスマン
帝国を支援して地中海進出をめざしたが，イギリスなどの干渉で阻止された。
その後，ロシアはクリミア戦争で敗北し，南下政策はまたも挫折。1877年
の**ロシア=トルコ戦争**では勝利し，ロシアの保護下で自治が承認されたブル
ガリアを通じ，バルカン半島での勢力拡大に成功したかに見えた。しかし，
イギリス・オーストリアが猛反発し，ロシアの南下政策はまたも阻止された。

```
B.C. 0 A.D.    500      1000      1500      2000
```

19世紀のロシア

ニコライ1世 （位1825〜55）	▶ デカブリスト（十二月党員）の乱を鎮圧（1825） ▶ 第1次エジプト＝トルコ戦争（1831〜33） ▶ 第2次エジプト＝トルコ戦争（1839〜40） ▶ クリミア戦争（1853〜56）
アレクサンドル2世 （位1855〜81）	▶ パリ条約 ▶ 農奴解放令（1861） ▶ ロシア＝トルコ戦争（1877〜78） ➡ サン＝ステファノ講和条約，ベルリン条約 ← 南下政策が阻止される

クリミア戦争時のバルカン半島MAP

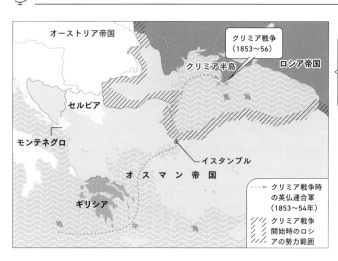

オーストリア帝国

クリミア戦争（1853〜56）

クリミア半島

ロシア帝国

セルビア

モンテネグロ

黒海

イスタンブル

オスマン帝国

ギリシア

地中海

ロシアは冬でも凍結しない港（不凍港）の獲得をめざし，南方へ領土を広げる南下政策を推進した

---▶ クリミア戦争時の英仏連合軍（1853〜54年）

/// クリミア戦争開始時のロシアの勢力範囲

THEME 44 **POINT**

◎ ロシアはオスマン帝国に対してクリミア戦争を起こすが，敗北した。

◎ ロシアのアレクサンドル2世は農奴解放令を発布するなど，改革を進めた。

◎ ロシアは南下政策を進め，東方問題に積極的にかかわった。

CHAPTER 06

Europe and
America in
the 19th Century

THEME
45

Coffee Time
Discovery

WORLD HISTORY

アメリカ史上最大の内戦が勃発!
南北戦争

🫖 19世紀におけるアメリカ合衆国の自立と民主主義の発展

　アメリカ合衆国の第3代大統領**ジェファソン**は，フランスからルイジアナを買収し，領土を倍増させた。第4代大統領マディソンの時代にはイギリスとの戦争によってアメリカの国民意識が高揚し，経済的自立が促進された。第5代大統領**モンロー**は，ヨーロッパ列強のラテンアメリカ諸国への干渉とアメリカのヨーロッパへの干渉を相互にやめる**モンロー教書**を発表。ヨーロッパ諸国との相互不干渉の外交政策をモンロー主義といい，その後のアメリカの基本外交政策となった。第7代大統領**ジャクソン**は最初の西部出身大統領で，資本家層と対立し，大衆民主主義を展開。ジャクソン派は南部を主な基盤とする**民主党**を結成した。

🫖 奴隷制をめぐる南北対立はついに内戦へ

　アメリカ合衆国では建国当初より南北対立が存在していた。北部は政治的には連邦主義，経済的には保護貿易を主張。商工業の発達にともない自由な労働力を確保するため，奴隷制の拡大には反対した。一方，南部は政治的には反連邦主義，経済的には自由貿易を主張。黒人奴隷を労働力とするプランテーションが発達していたため，奴隷制の存続を要求した。また，西部開拓の進展にともない，新しい州での奴隷制導入をめぐる対立が激化する。1852年に**ストウ**の小説『**アンクル=トムの小屋**』が出版されると，北部における奴隷制反対の世論は高まり，奴隷制反対を唱える**共和党**が成立した。1860年，共和党の**リンカン**が大統領に当選すると，翌年に南部諸州が合衆国から離脱して**アメリカ連合国**を結成。ここに**南北戦争**が開始された。初めは南軍が優勢であったが，経済的にまさる北軍が徐々に有利となる。西部の支持を固めたリンカンは1863年に**奴隷解放宣言**を発表し，内外世論を味方につけた。1865年，南部の首都リッチモンドが陥落し，南北戦争は終結した。

🌐 南北対立と南北戦争時のアメリカMAP

自由州

合衆国にとどまった奴隷州 ⎱ 南北戦争時の連邦残留州
                 ⎰ （戦争開始時 23 州のち 25 州）

戦争勃発後に合衆国から脱退した奴隷州 ⎱ 南北戦争時の
                         アメリカ連合国

戦争勃発前に合衆国から脱退した奴隷州 ⎰ 11 州

合衆国領地（まだ州になっていない地方）

🌐 演説するリンカン

ゲティスバーグの演説
「人民の人民による
人民のための政治」

リンカン大統領は
1863年に奴隷解
放宣言を発表し，
南北戦争で北部
を勝利に導いた

THEME 45 **POINT**

⌀ アメリカはフランスからルイジアナを買収し，領土を倍増させた。

⌀ 共和党のリンカンが大統領に就任すると，アメリカで南北戦争が始まった。

⌀ リンカンは奴隷解放宣言を発表し，内外世論を味方につけた。

| C H E C K |
確 認 問 題

ナポレオン戦争後，ヨーロッパの秩序を
再編するために開かれた会議は
次のうちどれ?

① ワシントン会議

② ウィーン会議

③ パリ講和会議

プロイセン王ヴィルヘルム1世のもとで
首相となり，「鉄血政策」によってドイツ統一を
進めたのは，次のうち誰?

① カヴール

② ディズレーリ

③ ビスマルク

03

1853年に，ロシアがオスマン帝国内の
ギリシア正教徒の保護を名目にオスマン帝国に
対して起こした戦争は，次のうちどれ?

① **クリミア戦争**

② **エジプト=トルコ戦争**

③ **ロシア=トルコ戦争**

04

南北戦争中に奴隷解放宣言を発表し，
北軍を勝利に導いたのは，次のうち誰?

① **ジェファソン**

② **ワシントン**

③ **リンカン**

答え ▷ P.188

07

Imperialism and Nationalist Movements

帝国主義と民族運動

| 7000000 | 10000 | B.C. 0 A.D. | 500 | 1000 | 1500 | 2000 |

ヨーロッパ列強はアジアやアフリカを次々と支配し，
各国が植民地を奪い合う帝国主義の時代に入る。
近代化を進める日本も勢力拡大をねらい，
東アジアの支配をめぐって日清戦争・日露戦争が起こった。
中国では清朝が衰退して列強との戦争に敗れ，
長く続いた皇帝政治の歴史が終わりを告げる。
植民地となったアジア諸国ではエリート層が民族意識に目覚め，
独立をめざして民族運動を開始した。
この章では，植民地支配をめぐる対立や闘争の歴史を学んでいこう。

CHAPTER 07
Imperialism
and Nationalist
Movements

THEME
46

Coffee Time
Discovery
WORLD HISTORY

ヨーロッパ列強の進出と民族運動によりオスマン帝国支配が動揺

オスマン帝国はヨーロッパ諸国に押されて衰退

　オスマン帝国は1683年の第2次ウィーン包囲の失敗をきっかけに，オーストリアにハンガリーなどを奪われた。18世紀後半にはロシアに黒海北岸を奪われるなど，次第に衰退していく。19世紀になると，**アブデュルメジト1世**がイスラーム国家から西欧近代国家への転換をめざす改革（**タンジマート**）に着手した。その結果，ヨーロッパ製品の流入が増加し，国内産業は衰退してヨーロッパ諸国への経済的従属が強まった。**アブデュルハミト2世**の宰相**ミドハト＝パシャ**は，二院制議会と立憲君主制をめざし，1876年にアジア初の憲法となる**ミドハト憲法**を制定した。しかし，アブデュルハミト2世はロシア＝トルコ戦争の勃発を口実に憲法を停止し，専制政治に逆戻りした。オスマン帝国はこの戦争で敗北し，ヨーロッパ側領土の半分以上を失うことになる。

アラブの民族主義の高まりと外国による支配

　18世紀半ば，アラビア半島ではムハンマド時代のイスラーム教への回帰を訴えるワッハーブ派の活動が活発になる。神秘主義のイラン人・トルコ人によってイスラーム教が堕落したという主張はアラブ人の民族意識を高めた。
　エジプトでは，ナポレオンのエジプト遠征に抵抗した**ムハンマド＝アリー**が1805年にエジプト総督に任命された。彼はオスマン帝国との2度にわたる戦争を通して，エジプト総督の世襲権を得た。1869年にフランスとエジプトの出資による**スエズ運河**が完成するが，スエズ運河株式会社の株式をイギリスが買収し，エジプトへの介入を強めた。外国支配に抵抗する**ウラービーの反乱**は鎮圧され，エジプトは事実上イギリスの保護国となる。また，イランではカージャール朝がロシアとの戦いに敗れ，治外法権を認めた。以後，他の諸外国にも同様の権利を認め，イランは外国勢力の侵略に苦しんだ。

| B.C. 0 A.D. | 500 | 1000 | 1500 | 2000 |

19世紀の西アジアとバルカン半島MAP

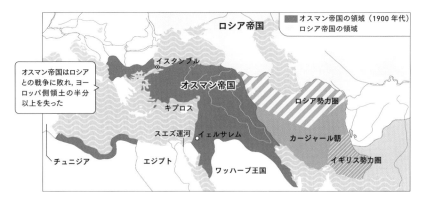

ロシア帝国

オスマン帝国の領域（1900年代）
ロシア帝国の領域

イスタンブル

オスマン帝国

オスマン帝国はロシアとの戦争に敗れ、ヨーロッパ側領土の半分以上を失った

キプロス

ロシア勢力圏

スエズ運河　イェルサレム

カージャール朝

チュニジア　エジプト

ワッハーブ王国

イギリス勢力圏

スエズ運河の開通

1869年にスエズ運河が開通し、ヨーロッパとアジアを結ぶ航路が大幅に短縮された

THEME 46　**POINT**

- 宰相ミドハト＝パシャのもと、アジア初の憲法のミドハト憲法が制定された。
- ムハンマド＝アリーはエジプト総督の世襲権を得た。
- フランスとエジプトの出資により、スエズ運河が完成した。

CHAPTER 07
Imperialism
and Nationalist
Movements

THEME
47

Coffee Time
Discovery
WORLD HISTORY

ヨーロッパ勢力による
南アジア・東南アジアの植民地化

インド全域を植民地化していったイギリス

17世紀以降，イギリスは**東インド会社**を中心にインド経営に乗り出した。18世紀には，イギリスが3度にわたる植民地戦争で南インドからフランス勢力を一掃。さらに，フランスとベンガル太守の連合軍を破り，ベンガル地方の支配権も手にした。その後，イギリスはデカン高原中西部，パンジャーブ地方を併合し，19世紀半ばにはインド全域を支配するに至る。

東インド会社は1833年に商業活動を停止し，インドの統治機関となる。統治に必要な経費はインドからの徴税によってまかなわれた。東インド会社のインド人傭兵である**シパーヒー**が反乱を起こすと，イギリスへの不満を背景に反乱はインド全土へと広まった。デリーを占領した反乱軍はムガル皇帝の復活を宣言するが，ムガル皇帝がイギリス軍に捕らわれ，1858年に**ムガル帝国**は滅亡。大反乱の責任を問われて東インド会社は解散し，1877年にはイギリスの**ヴィクトリア女王**が皇帝を兼ねる**インド帝国**が成立した。

植民地獲得をめざしてヨーロッパ人が東南アジアに進出

オランダは18世紀にジャワ島の大半を領有した。オランダ東インド会社が1799年に解散すると，オランダ政府が現在のインドネシアにあたる地域を直接支配した（オランダ領東インド）。イギリスはペナン・マラッカ・シンガポールを領有して海峡植民地を形成。さらに**マレー連合州**を組織させ，錫資源の開発とゴムのプランテーションによって利益を上げた。19世紀半ばには，フランスによるベトナム（阮朝）への侵略が始まった。フランスはベトナムを保護国とするが，ベトナムの宗主権を主張する清朝が反発し，**清仏戦争**が起こった。戦後に清朝はベトナムの宗主権を放棄。フランスはベトナム・カンボジアをあわせて**フランス領インドシナ連邦**とし，1899年にはラオスを連邦に加え，インドシナ半島の東半分がフランスの植民地となった。

B.C. **0** A.D.　　　500　　　1000　　　1500　　　2000

🌐 シパーヒーの反乱

東インド会社の
インド人傭兵
（シパーヒー）が
起こした大反乱が
インド全土に
広まった

✏️ 南アジア・東南アジアの動き

インド	ミャンマー（ビルマ）	タイ	マレー半島	ベトナム	インドネシア
▶1757年 プラッシーの戦い	▶コンバウン朝（アウランパヤー朝）	▶ラタナコーシン朝（チャクリ朝）		▶阮朝	▶18世紀 オランダは ジャワ島領有
▶1857～59年 シパーヒーの 反乱	▶1824～86年 ビルマ戦争（3回）		▶1826年 イギリスは海峡 植民地を建設		▶1825～30年 ジャワ戦争
▶1858年 ムガル帝国滅亡	ピルマ全土が インド帝国に 併合される	▶第4代国王 ラーマ4世（モンクット王）		▶1867年頃 劉永福が黒旗軍 を組織	
▶1877年 インド帝国の 成立		▶第5代国王 ラーマ5世（チュラロンコン大王）	▶1895年 イギリスは マレー連合州を 建設	▶1884～85年 清仏戦争	▶1873～1912年 アチェ戦争 ▶オランダ領 東インドが成立
		タイは独立を 保った		▶1887年 フランス領インド シナ連邦の成立	

THEME 47　**POINT**

- 🖉 **インドではシパーヒーの反乱が起こるが鎮圧され，ムガル帝国は滅亡した。**
- 🖉 **イギリスのヴィクトリア女王が皇帝を兼ねるインド帝国が成立した。**
- 🖉 **フランスは，インドシナ半島にフランス領インドシナ連邦を成立させた。**

CHAPTER 07
Imperialism
and Nationalist
Movements

THEME
48

Coffee Time
Discovery
WORLD HISTORY

欧米諸国に支配されていく中国

衰退する清朝は欧米諸国と不平等条約を締結

清朝は1757年以来，ヨーロッパとの貿易港を広州1港に限定し，特許商人である公行が貿易を独占していた。イギリスは貿易改善を要求したが交渉は失敗し，インド産のアヘンを密貿易で輸出し始めた。清朝が林則徐を広州へ派遣してアヘンの取り締まりを強行すると，イギリスとの間で**アヘン戦争**が勃発。惨敗した清朝は1842年にイギリスと**南京条約**を結び，5港の開港，公行の廃止，**香港島**の割譲などが決まった。翌年にはイギリスに対して領事裁判権，協定関税制，片務的最恵国待遇を認め，同様の不平等条約をアメリカ合衆国・フランスとも結んだ。また，1856年に清朝がイギリス船籍の中国人乗組員を逮捕するという**アロー号事件**が起こる。これをきっかけにイギリス・フランスが共同出兵し，**アロー戦争**となる。その結果，新たに11港の開港が決まり，清朝は九竜半島南部をイギリスに割譲することとなった。

「地上の天国」の実現をめざした太平天国の乱

アヘン戦争後，賠償金支払いなどのための重税が民衆の生活を圧迫し，社会不安が増大した。そうした中，洪秀全がキリスト教的結社の拝上帝会を結成し，1851年に**太平天国**を建てる。南京を占領して天京と改称し，ここを首都とした。太平天国は「滅満興漢」をスローガンに掲げて漢民族の支持を得る一方，アヘン吸飲や纏足を悪習として禁じ，清朝が強制した辮髪も廃止した。その後，内紛が起こり，欧米人を指揮官とする義勇軍（常勝軍）などの攻撃で首都が陥落。太平天国は1864年に滅亡した。

太平天国鎮圧後，同治帝の治世に清朝は安定を取り戻し，**同治の中興**と呼ばれた。この時期に進められた近代化・強兵政策を**洋務運動**という。これは，中国の伝統的な道徳倫理を基礎に，西洋の学問・技術を利用しようという「中体西用」の立場に立つものであった。

```
  |--------|--------|--------|--------|////|
 B.C. 0 A.D.  500     1000     1500    2000
```

 三角貿易（アヘン戦争の背景）

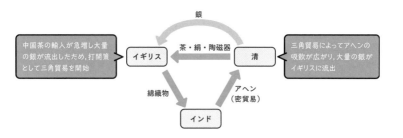

中国茶の輸入が急増し大量の銀が流出したため，打開策として三角貿易を開始

銀

茶・絹・陶磁器

イギリス

清

三角貿易によってアヘンの吸飲が広がり,大量の銀がイギリスに流出

綿織物

アヘン（密貿易）

インド

🌐 太平天国とアロー戦争MAP

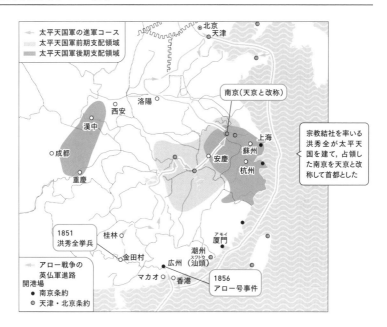

太平天国軍の進軍コース
太平天国前期支配領域
太平天国軍後期支配領域

北京
天津

南京（天京と改称）

洛陽

西安

漢中

○成都

安慶

重慶

上海
蘇州
杭州

宗教結社を率いる洪秀全が太平天国を建て，占領した南京を天京と改称して首都とした

1851
洪秀全挙兵

桂林○

金田村○

潮州（スワトウ）

アモイ
厦門

アロー戦争の英仏軍進路
開港場
● 南京条約
◉ 天津・北京条約

広州（汕頭）
マカオ ○香港

1856
アロー号事件

THEME 48 POINT

- アヘン戦争でイギリスに敗れた清は，5港の開港や香港島の割譲などを認めた。
- アロー戦争の結果，清はイギリスに九竜半島南部を割譲した。
- 洪秀全は「滅満興漢」をスローガンに，太平天国を建てた。

CHAPTER 07
Imperialism
and Nationalist
Movements

THEME
49

Coffee Time
Discovery
WORLD HISTORY

近代化の中の日本・中国・朝鮮

🍵 欧米諸国の圧力にさらされた日本は近代化を推進

　江戸時代末期の1853年，アメリカ海軍軍人**ペリー**が日本の浦賀に来航した。翌年の再来航で**日米和親条約**を締結し，下田と箱館を開港することになった。その後，1858年にアメリカ総領事ハリスと交わした**日米修好通商条約**と同様の不平等条約を英・仏・蘭・露とも結ぶ。1868年に明治政府が成立すると，富国強兵をめざして急速に近代国家への転換が図られた。**日清修好条規**で日清間の正式な国交が樹立され，**樺太（からふと）・千島（ちしま）交換条約**では全樺太をロシア領，全千島を日本領とすることが決まった。1889年にはドイツ憲法にならった**大日本帝国憲法**が成立し，翌年に二院制議会も開かれた。

🍵 朝鮮支配をめぐって日本と清が衝突

　19世紀後半，朝鮮王朝では国王高宗（こうそう）が即位したが，即位後10年間は実父の大院君（たいいんくん）が摂政を務めた。高宗の親政開始後は王妃の一族であった閔氏（びんし）が実権を握る。1875年，日本が**江華島事件（こうかとう）**を起こして朝鮮に開国を迫り，翌年に**日朝修好条規**で3港を開港することになった。清との関係維持を図る閔氏を中心とした保守派の事大党と，日本と結んだ指導者金玉均（キムオッキュン）ら開化派が対立し，そこに日清両国が介入したことから朝鮮をめぐる両国の対立が深まった。
　1894年，農民反乱である**甲午農民戦争（こうご）**（**東学の乱（とうがく）**）が起こると，閔氏政権は反乱鎮圧のために清軍の出兵を要請した。清の出兵に対抗して日本も朝鮮へ出兵し，朝鮮を戦場に**日清戦争（にっしん）**が始まった。この戦いに勝利した日本は，1895年に清との間で**下関条約（しものせき）**を結び，朝鮮の独立，遼東半島（りょうとう）・台湾（たいわん）・澎湖（ほうこ）諸島（テール）の割譲，2億両の賠償金の支払いなどを認めさせた。しかし，ロシアがドイツ・フランスとともに下関条約に干渉すると，日本はこれに屈服して遼東半島を清に返還した（**三国干渉**）。また，日清戦争で清が敗北したことにより，列強の中国進出は激化していった。

B.C. 0 A.D.	500	1000	1500	2000

列強の中国進出まとめ

国 名	租 借 地	主 な 利 権
ロシア	1898年，遼東半島南部	東清鉄道支線（ハルビン〜旅順・大連）敷設権
ドイツ	1898年，膠州湾	山東半島の利権
イギリス	1898年，威海衛・九竜半島北部	長江流域と広東東部の利権
フランス	1899年，広州湾	広東西部と広西地方
日 本	1905年以降，遼東半島南部	南満洲鉄道（長春〜旅順）

列強の中国分割MAP

イギリスの勢力範囲
ロシアの勢力範囲
フランスの勢力範囲
ドイツの勢力範囲
日本の勢力範囲
（ポ）＝ポルトガル
● 外国の領土・租借地

ロシア

ハルビン
満洲
奉天

旅順・大連
1898（ロ）
1905（日）

北京

韓国
漢城

青島
1898（ド）

山東省

清の勢力範囲は，
わずかとなった

南京
上海

威海衛
1898（イ）

広州湾

九竜半島
1898（イ）

マカオ
1887（ポ）

香港
1842（イ）

台湾
1895
（日本領）

フランス領
インドシナ
1887

海南島

日清戦争に敗れた中国に
対し，欧米列強が次々と
進出した

清

THEME 49 POINT

- 江戸時代末期，日本は不平等条約の日米修好通商条約を結んだ。
- 日本は朝鮮と日朝修好条規を結び，3港を開港させた。
- 日清戦争後，日本は遼東半島を獲得したが，三国干渉によって清に返還した。

CHAPTER 07
Imperialism
and Nationalist
Movements

T H E M E
50

Coffee Time
Discovery
WORLD HISTORY

対外膨張を続ける
ヨーロッパ列強の帝国主義

第2次産業革命の始まったヨーロッパ諸国は帝国主義へ

電力・石油を動力とし，重化学工業が産業の中心となる技術革新を**第2次産業革命**という。巨額の資本が必要で，銀行資本と産業資本が融合した金融資本が生まれた。また，資本主義の原則である自由競争の結果，企業連合であるカルテルや企業合同であるトラストといった企業の集中・独占が進んだ。ヨーロッパ列強は，植民地や勢力圏を確保するために，アジア・アフリカ・ラテンアメリカへ進出する**帝国主義**へ移行していく。

帝国主義へと進む各国では国内政治でも様々な変化が

イギリスは1870年代以降に経済的優位が崩れ，植民地を再評価して帝国主義政策を強化した。保守党のディズレーリ内閣はインド帝国を成立させた。また，植民地相の**ジョゼフ=チェンバレン**は南アフリカ戦争を推進。国内では，社会主義団体などが母体となり，1906年に労働党が成立した。

プロイセン=フランス戦争に敗北したフランスでは第三共和政が成立したが，1880年代末に対ドイツ復讐感情を利用したクーデタ未遂事件（**ブーランジェ事件**）が発生。さらに，ユダヤ系大尉に対するスパイ容疑事件（**ドレフュス事件**）が起こった。作家ゾラらの訴えで大尉の名誉は回復した。

ドイツでは，1888年に皇帝**ヴィルヘルム2世**が即位。政策をめぐり対立した宰相ビスマルクを辞職させ，親政を開始する。彼は「**世界政策**」を掲げて帝国主義政策を追求し，海軍の大拡張を図ってイギリスとの対立を深めた。

ロシアでは，マルクス主義政党としてロシア社会民主労働党が成立するが，**レーニン指導のボリシェヴィキ**とプレハーノフ指導の**メンシェヴィキ**に分裂した。1905年，デモ隊に軍が一斉射撃を加えた**血の日曜日事件**をきっかけに，労働者の自治的な評議会ソヴィエトが武装蜂起し，第1次ロシア革命へと展開。皇帝ニコライ2世は十月宣言で国会の開設と憲法の制定を約束した。

帝国主義の成立とその影響

帝国主義の始まり	▶ 第2次産業革命 〈電力・石油が動力源で重化学工業中心〉 ➡ 高度な資本主義 ➡ 帝国主義的膨張
帝国主義の特徴	▶ 銀行資本＋産業資本＝独占資本 ➡ 金融資本による支配 ▶ 企業の集中・独占（カルテル・トラスト・コンツェルン） ▶ 植民地の重要性が高まる ➡ 世界分割・再分割

国際対立の激化	反植民地運動	労働者の負担増大
第一次世界大戦へ	民族運動の展開	社会主義運動の高まり

 血の日曜日事件

政治改革を求めて請願デモを行っていた労働者たちに対し，軍が発砲して多数の死傷者が出た

THEME 50 **POINT**

- イギリス植民地相のジョゼフ＝チェンバレンは南アフリカ戦争を推進した。
- ドイツ皇帝ヴィルヘルム2世は「世界政策」を掲げ，海外へ進出した。
- ロシアでは血の日曜日事件をきっかけに，第1次ロシア革命が起こった。

CHAPTER 07
Imperialism
and Nationalist
Movements

THEME
51

Coffee Time
Discovery
WORLD HISTORY

世界の豊かな土地が力で引き裂かれる，世界分割

先住民の征服が完了し，帝国主義に突入するアメリカ

　アメリカでは1890年に「フロンティアの消滅」が宣言され，海外市場の必要性が増したことから帝国主義政策が推進された。共和党の**マッキンリー大統領**はハワイを併合し，**アメリカ＝スペイン戦争**に勝利してフィリピン・グアム・プエルトリコを領有。国務長官**ジョン＝ヘイ**は中国市場への割り込みをめざし，中国に関する門戸開放・機会均等・領土保全を提唱した。次の共和党大統領**セオドア＝ローズヴェルト**は，軍事力を背景にカリブ海への積極的な進出を行い（「**棍棒外交**」），パナマ運河の建設にも着手した。

南北を結ぶアフリカ縦断政策を展開したイギリス

　イギリスは1875年にスエズ運河会社株を買収してエジプトに進出した。エジプトを事実上の保護国とし，スーダンも征服。同じ頃，アフリカ最南端の**ケープ植民地**では，ケープ植民地首相のセシル＝ローズが帝国主義政策を進めた。オランダ系のブール人が建てたトランスヴァール共和国・オレンジ自由国でダイヤモンド鉱山・金鉱が発見されると，当時の植民地相ジョゼフ＝チェンバレンが**南アフリカ戦争**を起こし，両国を併合した。1910年にはイギリス自治領として**南アフリカ連邦**を組織した。

東西を結ぶアフリカ横断政策を推進したフランス

　フランスはシャルル10世の時代にアルジェリアを占領し，1881年にチュニジアを保護国とする。1890年代までにサハラ砂漠地域を領有して，フランス領西アフリカを形成した。**アフリカ横断政策**を進めるフランスは，**アフリカ縦断政策**を進めるイギリスとスーダンで衝突したが（**ファショダ事件**），フランスが譲歩。両国は，エジプトにおけるイギリスの優越権，モロッコにおけるフランスの優越権を相互に承認して，1904年に英仏協商が成立した。

```
├─────────┼──────────┼──────────┼──────────┼──────────┤
B.C. 0 A.D.   500       1000       1500      2000
```

棍棒外交

アメリカ大統領のセオドア=ローズヴェルトは，軍事力を背景にカリブ海への積極的な進出を行った

列強によるアフリカ分割MAP

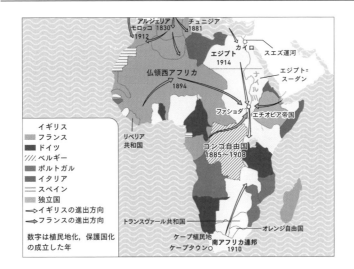

アルジェリア 1830
モロッコ 1912
チュニジア 1881
カイロ
エジプト 1914
スエズ運河
仏領西アフリカ 1894
エジプト=スーダン
ファショダ
エチオピア帝国
リベリア共和国
コンゴ自由国 1885～1908
トランスヴァール共和国
オレンジ自由国
ケープ植民地
ケープタウン
南アフリカ連邦 1910

- イギリス
- フランス
- ドイツ
- ベルギー
- ポルトガル
- イタリア
- スペイン
- 独立国
- ⇨ イギリスの進出方向
- ⇨ フランスの進出方向

数字は植民地化，保護国化の成立した年

THEME 51 **POINT**

- ⚫ セオドア=ローズヴェルトは棍棒外交により，カリブ海に進出した。

- ⚫ イギリスはスエズ運河会社株を買収して，エジプトに進出した。

- ⚫ イギリスとフランスは，アフリカのスーダンで衝突した（ファショダ事件）。

CHAPTER 07
Imperialism
and Nationalist
Movements

THEME
52

0
Coffee Time
Discovery
WORLD HISTORY

民族意識に目覚めた
アジア諸国の改革と民族運動

インド人エリート層が民族運動を開始する

　イギリスはインド人らの対英協調を求め，1885年に穏健な地主や知識人を集めて**インド国民会議**をボンベイで開催した。1905年，イギリスはベンガル州をヒンドゥー教徒とイスラーム教徒による2州に分割する**ベンガル分割令**を発表。これに反発して1906年に開催された国民会議カルカッタ大会では，ティラクら反英急進派が主導権を握り，英貨排斥・**スワデーシ**（国産品愛用）・**スワラージ**（自治獲得）・民族教育の4綱領を採択した。

教育を受けた東南アジアの人々の間で民族意識が高まる

　ベトナムでは，フランスからの独立をめざし，1904年に民族運動家の**ファン=ボイ=チャウ**らが維新会を結成した。彼らは日露戦争に刺激され，留学生を日本に送る**ドンズー（東遊）運動**を展開したが，日仏協約を結んだ日本政府の弾圧で挫折した。インドネシアでは1912年に成立したイスラーム同盟がオランダに対し自治を求める民族運動の中心となったが，弾圧を受けて衰退する。フィリピンでは民族運動家ホセ=リサールが政治小説でスペインの暴政を批判。フィリピン革命が始まり，1899年に**アギナルド**を大統領として**フィリピン共和国**の独立を宣言した。しかし，スペインからフィリピンを獲得したアメリカが侵攻し，アメリカによる本格統治が始まった。

中国では急進的な政治改革が失敗に終わる

　清では，日清戦争の敗北で洋務運動の限界が暴露されると，公羊学派の**康有為**は光緒帝に進言して政治改革を断行した。これを**戊戌の変法**といい，日本の明治維新を模範とし，議会制度を基礎とする立憲君主制の樹立をめざした。しかし，保守派の**西太后**のクーデタにより改革は100日あまりで終了した。これを**戊戌の政変**と呼び，以降は保守排外派が政権を掌握した。

B.C. 0 A.D.	500	1000	1500	2000

 アジア諸国の改革と民族運動の動きまとめ

インド	ベトナム	インドネシア	フィリピン	清（中国）
▶1885年 第1回 インド国民会議	▶1883年以来 フランスの保護国		▶1896年 カティプーナンの蜂起 ▶1898年 アメリカ=スペイン戦争 ▶1899年 アギナルドが フィリピン共和国の 独立を宣言	▶1898年 戊戌の変法 ▶1898年 戊戌の政変
▶1905年 ベンガル分割令 ▶1906年 国民会議カルカッタ 大会4綱領 ▶1906年 全インド=ムスリム 連盟結成	▶1905年 ファン=ボイ=チャウ らがドンズー運動 を展開	▶1912年 イスラーム同盟 結成		

 アジアの民族運動MAP

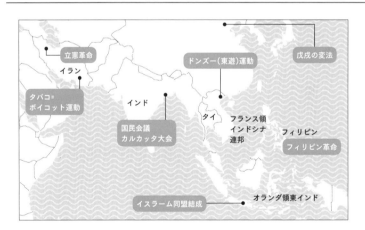

THEME 52 POINT

- 国民会議カルカッタ大会で，スワデーシ・スワラージなどが採択された。
- ベトナムでは，留学生を日本に送るドンズー（東遊）運動が進められた。
- 清の康有為は立憲君主制の樹立をめざし，戊戌の変法と呼ばれる改革を進めた。

CHAPTER 07
Imperialism
and Nationalist
Movements

THEME
53

Coffee Time
Discovery
WORLD HISTORY

東アジアで台頭する日本

☕ ロシアに対する日本の勝利はアジアの民族運動を刺激

　清では欧米列強の進出の中でキリスト教排斥運動（仇教運動）が広がり，これを背景に宗教的武術結社の**義和団**が「**扶清滅洋**」をスローガンに蜂起した。清朝の保守派はこの運動を利用して列強に宣戦する。これに対し，日・露を中心とした列強8か国が共同出兵し，北京を占領。1901年に**北京議定書**が結ばれ，これ以後中国は半植民地化の状態に置かれることになった。

　義和団事件後，ロシアは中国東北地方から撤兵せずに朝鮮への圧力を強めた。ロシアの南下を脅威とみる日本とイギリスの利害が一致し，**日英同盟**が成立する。1904年，日本はロシアに宣戦し，**日露戦争**が始まった。日本は各地で勝利を重ねたが，長期戦に耐える経済力はなかった。一方ロシアでは**第1次ロシア革命**が起こり，戦争継続が不可能となった。その結果，アメリカ大統領セオドア＝ローズヴェルトの仲介で**ポーツマス条約**が結ばれた。大国ロシアに対する日本の勝利はアジア各国の民族運動を刺激した。

☕ 朝鮮は植民地となり，中国では皇帝政治が終わる

　日清戦争後の朝鮮は国号を大韓帝国と改め，独立国となった。しかし，3次にわたる日韓協約で日本の保護国とされ，**統監府**が置かれた。各地で反日義兵闘争が起こり，安重根が初代統監**伊藤博文**を暗殺すると，1910年に日本は**韓国併合**を強行。京城（現在のソウル）に**朝鮮総督府**を置いた。

　義和団事件後の中国では，清朝が近代的国家の建設をめざす改革を進めた。同じ頃，革命運動の指導者**孫文**は東京で中国同盟会を組織する。清朝が1911年に幹線鉄道の国有化を宣言すると，これに反対して四川暴動が発生し，その鎮圧を命じられた湖北新軍が蜂起。**辛亥革命**が始まった。翌年，孫文を臨時大総統とする**中華民国**が建国される。清朝の実力者**袁世凱**は孫文らと取引して宣統帝（溥儀）に退位を迫り，清朝は滅亡した。

東アジアの列強の勢力圏

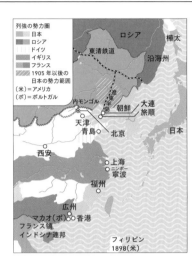

列強の勢力圏
- 日本
- ロシア
- ドイツ
- イギリス
- フランス
- 1905年以後の日本の勢力範囲
- （米）＝アメリカ
- （ポ）＝ポルトガル

日露戦争の結果，日本が遼東半島南部の租借権や南満洲鉄道の利権などを獲得した

義和団事件で出兵した連合軍

イギリス　アメリカ　ロシア　インド（イギリス領）　ドイツ　フランス　オーストリア　イタリア　日本

列強に宣戦した清朝に対し，日・露を中心とした8か国が共同出兵して北京を占領した

THEME 53 POINT

- 清では仇教運動が広がり，義和団が「扶清滅洋」を唱えて蜂起した。
- 日本は韓国併合を行い，京城（ソウル）に朝鮮総督府を置いた。
- 中国では孫文の指導のもと辛亥革命が起こり，清朝は滅亡した。

| CHECK |
確　認　問　題
◁ 帝 国 主 義 と 民 族 運 動 ▷
Imperialism and Nationalist Movements

「滅満興漢（めつまんこうかん）」をスローガンに，1851年に
洪秀全（こうしゅうぜん）が建てた国は，次のうちどれ？

① 義和団（ぎわだん）

② 太平天国

③ 中華民国

「棍棒外交（こんぼう）」を掲げ，軍事力を背景に
カリブ海へ進出したアメリカの大統領は，
次のうち誰？

① セオドア=ローズヴェルト

② セシル=ローズ

③ ジョゼフ=チェンバレン

03

1905年にロシアで起こった第1次ロシア革命の
きっかけとなった事件は，次のうちどれ？

① 血の日曜日事件
② ブーランジェ事件
③ 義和団事件

04

中国同盟会を組織し，1911年に起こった
辛亥革命を指導した人物は誰？

① 袁世凱
② 孫文
③ 溥儀

答え ▷ P.188

Coffee Time
Discovery

☲ WORLD HISTORY ☲

08

The Two World Wars

二つの世界大戦

| 7000000 | 10000 | B.C. 0 A.D. | 500 | 1000 | 1500 | 2000 |

ヨーロッパでは列強間の緊張が高まり，
利害がぶつかるバルカン半島は一触即発状態となった。
ついに，史上初の世界戦争である第一次世界大戦が勃発する。
長期にわたる総力戦によってヨーロッパは荒廃し，
その反省から国際協調の道が模索された。
ところが，世界恐慌が発生して各国の経済は大打撃を受け，
ドイツ・イタリア・日本ではファシズムが台頭していった。
国際秩序は崩壊し，第二次世界大戦へと突入することになる。
この章では，二つの世界大戦の発生から戦後の動きまでを見ていこう。

CHAPTER 08

The Two
World Wars

THEME

54

Coffee Time
Discovery

WORLD HISTORY

史上初の世界戦争となった，第一次世界大戦

🍵 列強間の緊張が高まり，バルカン半島は一触即発状態に

19世紀後半より，ロシアは自国を中心にスラヴ民族の勢力拡大を図る**パン=スラヴ主義**の下，南下政策を推進した。1912年にはロシアの指導でセルビア・モンテネグロ・ギリシア・ブルガリアが**バルカン同盟**を結ぶ。同年，バルカン同盟はオスマン帝国と開戦した（第1次バルカン戦争）。この戦いで敗れたオスマン帝国は，パン=スラヴ主義に反発してドイツ=オーストリアの**パン=ゲルマン主義**に接近する。一方，第1次バルカン戦争で獲得した領土の分配をめぐり，ブルガリアと他のバルカン同盟国間で第2次バルカン戦争が起こる。大敗したブルガリアはドイツ=オーストリアに接近。こうしてバルカン半島ではパン=スラヴ陣営とパン=ゲルマン陣営が入り交じり，**「ヨーロッパの火薬庫」**と呼ばれる緊迫した状況となった。

🍵 サライェヴォ事件をきっかけに第一次世界大戦が勃発！

1914年6月，ボスニアの州都**サライェヴォ**でオーストリア帝位継承者夫妻がセルビア人民族主義者の青年に暗殺された（サライェヴォ事件）。オーストリアはドイツの支援を得て，同年7月，セルビアに宣戦布告。諸国が**同盟国**側と**連合国（協商国）**側に分かれて戦う**第一次世界大戦**が始まった。同盟国側にはドイツ・オーストリア・オスマン帝国・ブルガリアの4か国，連合国側にはフランス・ロシア・イギリスを中心とする27か国が参加した。日本は日英同盟を口実に連合国側で参戦している。

1917年4月，ドイツの無制限潜水艦作戦に対抗し，中立国であったアメリカが参戦。一方，ロシア革命の結果成立したソヴィエト政府はドイツと単独講和して戦線から離脱する。ドイツでは1918年11月，キール軍港の水兵が出撃を拒んで起こした反乱が全国に波及し，**ドイツ革命**となる。**ドイツ共和国**が成立し，連合国と休戦協定を結ぶことで第一次世界大戦は終結した。

B.C. **0** A.D.　　　500　　　　　1000　　　　　1500　　　　　2000

🌐 サライェヴォ事件

オーストリア帝位
継承者夫妻が
セルビア人民族
主義者の青年に
暗殺された

🌐 第一次世界大戦中のヨーロッパMAP

凡例:
- 同盟国側
- 連合国側
- 中立国
- 1917 / 1918 同盟国軍の最進出線
- ///// 同盟国軍の占領地域

地図ラベル: ノルウェー, スウェーデン, ロシア, デンマーク, オランダ, イギリス, ドイツ, 東部戦線, ベルギー, ワルシャワ, 西部戦線, フランス, スイス, ポルトガル, オーストリア=ハンガリー, ルーマニア, ブルガリア, スペイン, サライェヴォ, イタリア, ギリシア, オスマン帝国, モンテネグロ, アルバニア, セルビア

THEME 54 **POINT**

- 🖉 バルカン半島は,「ヨーロッパの火薬庫」と呼ばれる緊張状態にあった。
- 🖉 サライェヴォ事件をきっかけに, 第一次世界大戦が始まった。
- 🖉 キール軍港での水兵の反乱をきっかけに, ドイツ革命が起こった。

CHAPTER 08

The Two
World Wars

THEME
55

Coffee Time
Discovery
WORLD HISTORY

ロシア革命によって誕生したソ連

史上初の社会主義革命がロシアで達成される

　1917年3月，食糧危機に見舞われた首都ペトログラードの労働者がストライキを起こすと，兵士も合流して大規模な暴動となり，全国に波及した。各地の労働者や兵士は**ソヴィエト**（評議会）を組織し，革命を推進。皇帝ニコライ2世は退位し，ロマノフ朝は滅亡した。これが**ロシア二月革命**である。革命の結果，ブルジョワ中心の立憲民主党を主体とする臨時政府が成立するが，ソヴィエトが活動を維持したため，不安定な二重権力体制となった。

　1917年4月，ボリシェヴィキの指導者**レーニン**が亡命先から帰国し，すべての権力をソヴィエトに集中させるべきであるとする「四月テーゼ」を発表した。同年11月，レーニンらは武装蜂起を指導し，臨時政府を打倒。全ロシア＝ソヴィエト会議でソヴィエト政権が樹立され，無併合・無賠償・民族自決の原則に基づく「平和に関する布告」，土地私有の廃止を宣言する「土地に関する布告」を発表した。これが**ロシア十月革命**である。

4つのソヴィエト共和国がソヴィエト連邦（ソ連）を結成

　十月革命後に開かれた憲法制定会議において，ボリシェヴィキは第二党であった。そこでレーニンらは武力で議会を封鎖・解散し，ボリシェヴィキ独裁を実現した。1918年，ボリシェヴィキは**ロシア共産党**と改称。首都をモスクワへ移し，中央集権組織を形成して一党独裁体制を築いた。1918年3月，ソヴィエト政権はドイツと単独で講和し，第一次世界大戦から離脱した。

　革命の拡大を恐れた連合国は反革命軍を援助し，各地を占領。対するソヴィエト政府は秘密警察組織の**チェカ（非常委員会）**を設置し，反革命派の取り締まりを強化した。また，戦時共産主義で経済が荒廃したため，**新経済政策（ネップ）**を実施。1922年には，ロシア・ウクライナ・ベラルーシ・ザカフカースの4共和国が合同して**ソヴィエト社会主義共和国連邦**が成立した。

B.C. **0** A.D.　　　**500**　　　**1000**　　　**1500**　　　**2000**

演説するレーニン

レーニンらは武装蜂起を指導し，臨時政府を打倒してソヴィエト政権を樹立した

ロシア革命の流れ

政府	革命勢力の動き
ロシア二月革命 ▶ロマノフ朝滅亡	▶1917年3月，首都ペトログラードで大規模なストライキ
▶臨時政府（二重権力体制）	▶各地でソヴィエトが活動
▶社会革命党のケレンスキー内閣	▶ソヴィエト内でボリシェヴィキの勢力拡大 「四月テーゼ」を発表
ロシア十月革命 ▶ケレンスキー内閣崩壊	▶1917年11月，ボリシェヴィキ武装蜂起

1917年11月，全ロシア=ソヴィエト会議でソヴィエト政権成立

THEME 55　**POINT**

- ロシア二月革命によって，皇帝ニコライ2世は退位した。
- レーニンは臨時政府を打倒し，ロシア十月革命を指導した。
- ロシア・ウクライナ・ベラルーシなどが合同して，ソ連が成立した。

CHAPTER 08

The Two
World Wars

THEME
56

0
Coffee Time
Discovery
WORLD HISTORY

第一次世界大戦後の
国際秩序はどうなった?

敗戦国であるドイツに厳しい要求が突きつけられる

　第一次世界大戦後の1919年1月，戦勝国側である連合国が集まり，**パリ講和会議**が開催された。アメリカ大統領**ウィルソン**が提唱した秘密外交の廃止，民族自決，国際平和機構の設立などを主な内容とする**十四カ条**を講和の基礎とした。しかし，各国の思惑の違いや既得権益への固執から，講和の原則は部分的にしか実現しなかった。ドイツと連合国との間には**ヴェルサイユ条約**が結ばれ，ドイツに対してはフランスへのアルザス・ロレーヌの返還やラインラントの非武装化，巨額の賠償金の支払いなどが取り決められた。同様にして，他の旧同盟国と連合国の間でも条約が結ばれた。

　この頃，ヨーロッパではフィンランドやハンガリー，バルト3国など8か国の新興国家が成立した。一方，イラク・パレスチナ・トランスヨルダンはイギリスの，**シリア**はフランスの委任統治下に入った。

ヴェルサイユ体制下で国際協調が進展

　ウィルソンの十四カ条で提唱された**国際連盟**が1920年に発足する。本部はスイスのジュネーヴに置かれた。これは史上初の集団的安全保障に基づく国際平和機構である。しかし，提唱国であるアメリカの不参加，ソ連とドイツの排除（のちに両国も加盟），各国1票制で全会一致の原則，制裁に限度があることなど，欠点も多かった。ヴェルサイユ条約にもとづくヨーロッパの新しい国際秩序を**ヴェルサイユ体制**という。

　1921〜22年にはアメリカ大統領ハーディングの提唱で**ワシントン会議**が開催された。この会議では，海軍軍縮のための**ワシントン海軍軍備制限条約**などが結ばれた。また，1920年代後半からは国際協調の機運が高まり，1928年にはフランス外相ブリアンとアメリカ国務長官ケロッグの提唱で，戦争違法化の先例となった国際法である**不戦条約**が結ばれた。

| | B.C. 0 A.D. | 500 | 1000 | 1500 | 2000 |

第一次世界大戦の講和条約

パリ講和会議	1919年	ウィルソンの「十四カ条」の原則。戦勝国が開いた会議で，敗戦国に対する講和条約は1カ国ずつ個別に結ばれた。
ヴェルサイユ条約	1919年	ドイツと連合国の講和条約
サン=ジェルマン条約	1919年	オーストリアと連合国の講和条約
ヌイイ条約	1919年	ブルガリアと連合国の講和条約
トリアノン条約	1920年	ハンガリーと連合国の講和条約
セーヴル条約	1920年	オスマン帝国と連合国の講和条約

ヴェルサイユ，サン=ジェルマン，ヌイイ，トリアノン，セーヴルはすべて条約が締結されたパリ付近の地名

ヴェルサイユ条約後のヨーロッパMAP

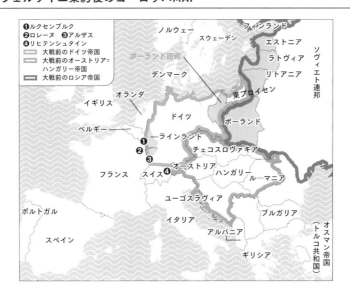

THEME 56 **POINT**

● アメリカのウィルソン大統領は講和原則として，十四カ条を発表した。

● ドイツと連合国の講和条約として，ヴェルサイユ条約が結ばれた。

● 第一次世界大戦後，アメリカの提唱でワシントン会議が開催された。

CHAPTER 08

The Two
World Wars

THEME

57

0
Coffee Time
Discovery

WORLD HISTORY

第一次世界大戦後の各国で政治・経済はどう動いた？

独立国となったアイルランドがイギリス連邦を離脱

　イギリスでは1924年に初めての**労働党**内閣が誕生し，首相に**マクドナルド**が就任。1928年の第5回選挙法改正では，21歳以上の男女に選挙権が認められた。また，1922年に成立した**アイルランド自由国**をイギリスは自治領として承認。1937年には国名を**エール**と改称し，イギリス連邦を離脱。

　フランスはポワンカレ右派内閣のとき，ドイツの賠償金支払い遅延を理由にベルギーとともに**ルール占領**（1923〜25年）を強行したが，その後撤退。外相となったブリアンは国際協調路線をとった。

敗戦後のドイツでは民主的な憲法が制定される

　ドイツではドイツ社会民主党のエーベルトが大統領となり，1919年に**ヴァイマル憲法**を制定した。フランスのルール占領に対してサボタージュなどで抵抗したため破滅的なインフレーションを招いたが，シュトレーゼマン内閣が新紙幣レンテンマルクを発行することで収拾した。

　イタリアでは**ムッソリーニ**率いる**ファシスト党**が1922年に「**ローマ進軍**」を行い，ムッソリーニは首相になって一党独裁体制を確立した。ムッソリーニ政権は1929年のラテラノ条約でローマ教皇庁と和解した。

ソ連では社会主義建設が進み，アメリカは繁栄期を迎える

　ソ連ではレーニンの死後，共産党書記長に**スターリン**が就任した。彼は一国社会主義を主張し，世界革命を唱える**トロツキー**を追放して実権を握り，独裁政治を行った。スターリンは新経済政策（ネップ）に代わる計画経済政策として**第1次五カ年計画**を実施し，農業では集団化・機械化が命じられた。

　アメリカは第一次世界大戦で連合国に物資・借款を提供し，大きな利益を上げた。戦後は債務国から債権国へと転換し，空前の繁栄期を迎えた。

ドイツのハイパーインフレ

ドイツは戦後の経済混乱にルール占領の影響も加わり，マルクの価値が破壊的に下落した

価値が下がった札束をおもちゃにして遊ぶ子どもたち

🌐 1920年代のアメリカの繁栄

第一次世界大戦を経たアメリカは債務国から債権国になり，空前の繁栄期を迎えた

THEME 57 POINT

- フランスはベルギーとともにルール占領を強行した。
- イタリアでは，ムッソリーニのファシスト党が一党独裁体制を確立した。
- ソ連ではスターリンが第1次五カ年計画を実施し，農業の集団化を進めた。

CHAPTER 08

The Two
World Wars

THEME

58

Coffee Time
Discovery

WORLD HISTORY

第一次世界大戦後の 中国・朝鮮で民族運動が活発化

🥛 日本の支配に抵抗する中国・朝鮮

　　1910年の韓国併合後の朝鮮では，日本の朝鮮総督府が力による武断政治を行った。1919年3月1日，学生や市民らがソウルで独立宣言を発表し，反日独立運動が全国に拡大した（**三・一独立運動**）。しかし，朝鮮は列強の支持を得られず，日本軍により徹底的に鎮圧された。この出来事をきっかけに，日本は朝鮮統治を武断政治から文化政治へと移行させた。

　　第一次世界大戦で日本は日英同盟を理由に対ドイツ側で参戦した。1915年，日本は中華民国の袁世凱政権に**二十一カ条の要求**を突きつけ，山東省のドイツ権益の継承などを認めさせた。大戦後のパリ講和会議で中国は二十一カ条の要求の取り消しを求めたが，却下される。すると1919年5月4日，北京大学の学生らが抗議デモを行い，全国的な反帝国主義運動が広がった（**五・四運動**）。このため，中国政府はヴェルサイユ条約の調印を拒否した。

🥛 中国国民党が中国の統一を達成

　　1919年，孫文は民衆の力を利用した中国の統一をめざして，秘密結社の中華革命党を大衆政党の**中国国民党**に改組。一方，1921年にはソ連のコミンテルンの指導により，**中国共産党**が成立した。中国国民党が「連ソ・容共・扶助工農」の新政策を提言したことで両党は協力し，**第1次国共合作**が成立する。

　　1925年に中国国民党は広州国民政府を樹立。翌年には，中国国民党の**蒋介石**率いる国民革命軍が軍閥の打倒と中国統一をめざす**北伐**を開始した。その後，蒋介石は**上海クーデタ**を起こして共産党を弾圧。南京国民政府を樹立し，北伐を再開して北京に迫った。1928年，北京を支配する奉天軍閥の**張作霖**が日本の関東軍により爆殺される。彼の子張学良が日本に反発して蒋介石と結んだことから，北伐は完了した。一方，中国共産党は瑞金を拠点にして中華ソヴィエト共和国臨時政府を成立させ，主席に**毛沢東**が就任した。

| B.C. | 0 | A.D. | 500 | 1000 | 1500 | 2000 |

🌐 1920年代の中国と日本MAP

東北地方

内モンゴル
北京 ●奉天
関東州
延安
張作霖 山東 ○ソウル
西安 朝鮮
洛陽 青島 日本
四川 徐州
武漢 南京
重慶○ 上海
長沙
広西
蔣介石
広州
フランス領
インドシナ連邦

■ 国民政府派勢力地域
■ 奉天派勢力地域
■ 直隷派勢力地域
■ その他の軍閥勢力地域
● 共産党の蜂起・根拠地
□ 東北軍閥派
■ 国民政府派
→ 国民革命軍北伐路

🌐 中国国民党・共産党の指導者

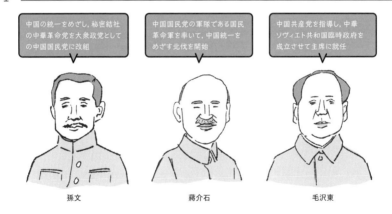

中国の統一をめざし,秘密結社の中華革命党を大衆政党としての中国国民党に改組

中国国民党の軍隊である国民革命軍を率いて,中国統一をめざす北伐を開始

中国共産党を指導し,中華ソヴィエト共和国臨時政府を成立させて主席に就任

孫文　　　　　　　蔣介石　　　　　　　毛沢東

THEME 58 **POINT**

◉ 日本は中国に二十一カ条の要求を突きつけた。

◉ 中国国民党と中国共産党は第1次国共合作を成立させた。

◉ 蔣介石は軍閥打倒と中国統一をめざす北伐を開始した。

CHAPTER 08

The Two
World Wars

THEME
59

Coffee Time
Discovery

WORLD HISTORY

第一次世界大戦後の
アジア各地で続く独立運動

社会主義思想の影響を受けた東南アジアの民族運動

インドネシアでは，1920年にアジア初の共産党であるインドネシア共産党が結成され，1927年には**スカルノ**の指導により**インドネシア国民党**が結成された。インドシナでは1925年に**ホー＝チ＝ミン**がベトナム青年革命同志会を結成した。それを母体として，1930年には**インドシナ共産党**が成立し，独立闘争の主体となった。フィリピンでは，1934年にアメリカのフランクリン＝ローズヴェルト大統領が10年後の独立を約束。翌年，フィリピン独立準備政府が発足した。ビルマではタキン党が完全独立を要求した。

世界に大きな影響を与えたインドの非暴力・不服従運動

1919年，イギリスはインド統治法で形式的に各州の自治を認めたが，インド人が期待した自治にはほど遠かった。「インド独立の父」と呼ばれた**ガンディー**は非暴力・不服従運動を展開した。1929年，国民会議派内の**ネルー**ら急進派が**プールナ＝スワラージ**（完全なる独立）を決議。ガンディーはこれに合わせ，非暴力・不服従運動としてイギリスの塩の専売打破のため「**塩の行進**」を行い，反英運動の象徴として多くの支持を集めた。イギリスはロンドンにインド人代表を招いて英印円卓会議を開催したが失敗。1935年には1935年インド統治法を制定したが，完全独立にはほど遠い内容であった。

オスマン帝国が滅亡し，トルコ共和国が成立

オスマン帝国は第一次世界大戦敗北後，治外法権・内政干渉権など亡国的内容を含むセーヴル条約を受諾した。この条約に反対した軍人**ムスタファ＝ケマル**は**トルコ革命**を起こし，1923年に**トルコ共和国**を樹立した。翌年に憲法を制定し，様々な近代化政策を推進。カリフ制の廃止により政教分離を実行し，女性解放を進めて女性参政権も実現した。

🌐 ガンディーの「塩の行進」

ガンディーはイギリスの植民地支配への抗議運動として行進し，反英運動の象徴となった

塩は植民地政府の専売品であったが，ガンディーは自らの手で塩を作ることでその不当性を訴えた

✏️ 大戦中のパレスチナにおけるイギリスの多重外交

協定	内容
1915年 フセイン・マクマホン協定	アラブの指導者フセインとイギリスの外交官マクマホンとの間で結ばれた協定。大戦終了後，オスマン帝国統治下の<u>アラブ人の独立国家を認める</u>という内容。 戦後，イギリスは無視
1916年 サイクス・ピコ協定	英・仏・露によるオスマン帝国領の分割，<u>パレスチナの国際管理を約束</u>
1917年 バルフォア宣言	イギリス外相バルフォアが，<u>パレスチナにおけるユダヤ人国家の建国支持</u>を表明したもの

戦後のパレスチナはイギリスの委任統治領となる → アラブ人とユダヤ人との抗争へ → 現在まで続くパレスチナ問題

THEME 59　POINT

- インドでは，ガンディーが非暴力・不服従運動を展開した。

- ネルーらはプールナ゠スワラージを決議し，独立運動を進めた。

- ムスタファ゠ケマルはトルコ革命を起こし，トルコ共和国を樹立した。

CHAPTER 08

The Two
World Wars

THEME
60

Coffee Time
Discovery
WORLD HISTORY

株価が大暴落した「暗黒の木曜日」

ニューヨークのウォール街から世界恐慌が始まった

1929年10月24日は「暗黒の木曜日」と呼ばれ，ニューヨーク株式市場（**ウォール街**）で株価が大暴落した。当時，世界各国の経済がアメリカに依存していたため恐慌が全世界に広がり，**世界恐慌**と呼ばれる状態になった。

1932年のアメリカ大統領選では，民主党の**フランクリン＝ローズヴェルト**が**ニューディール**（新規まき直し）と呼ばれる経済復興政策を掲げて当選。従来の自由放任経済を修正し，経済学者ケインズの提唱する修正資本主義の観点から，政府が市場に介入して国民諸階層の利害を調整することをめざした。また，対外政策では1933年にソ連を承認。善隣外交を打ち出し，ラテンアメリカ諸国への介入と干渉を排して関係改善に努めた。

排他的なブロック経済政策で国際貿易はますます縮小

イギリスでは労働党単独内閣である第2次マクドナルド内閣が誕生したが，失業保険削減をめぐって総辞職した。その後，マクドナルドは保守党・自由党と結んで**マクドナルド挙国一致内閣**を組織。1932年のオタワ連邦会議で，イギリス連邦内では関税を下げ，連邦外の国には高関税を課するスターリング＝ブロック（ポンド＝ブロック）を形成した。フランスも同様にブロック経済方式を採用し，**フラン＝ブロック**を形成して経済の安定を図った。

経済の基盤が弱かった日本は対外進出に活路を求めた

日本では1931年，関東軍が柳条湖で鉄道を爆破し，中国東北地方の占領を進めた（**満洲事変**）。国際連盟は**リットン調査団**を満洲に派遣。日本は満洲国を建国したが承認されず，1933年に国際連盟を脱退した。また，1932年の犬養首相暗殺（**五・一五事件**）を機に政党政治が終わり，1936年のクーデタ事件（**二・二六事件**）を経て，軍部の政治的影響力が著しく強まった。

B.C. 0 A.D.　　500　　1000　　1500　　2000

世界恐慌とその後の世界

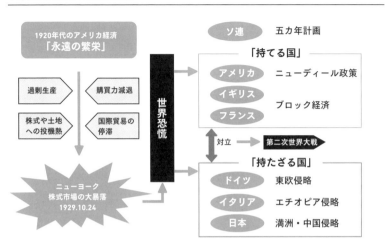

世界恐慌の影響を受ける各国の工業生産と失業率

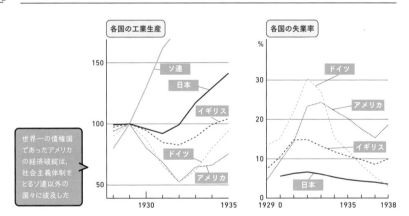

THEME 60 **POINT**

- *ニューヨーク株式市場での株価の大暴落をきっかけに，世界恐慌が起こった。*
- *アメリカでは，ニューディールと呼ばれる経済復興政策がとられた。*
- *イギリスとフランスでは，恐慌対策としてブロック経済方式がとられた。*

CHAPTER 08

The Two
World Wars

THEME

61

Coffee Time
Discovery
WORLD HISTORY

世界恐慌で崩壊する
ヴェルサイユ体制

☕ ドイツ国内の社会不安を背景にナチ党が躍進

ドイツ労働者党は1920年に**国民（国家）社会主義ドイツ労働者党**と改称した。通称は**ナチ党（ナチス）**である。1921年には**ヒトラー**が党首となり，巧みな大衆宣伝と演説で人心を掌握。1932年の選挙では第一党となる。その翌年に首相となったヒトラーは，**国会議事堂放火事件**を共産党の陰謀と断定して同党を弾圧。全権委任法により立法権を政府に移し，一党独裁体制を確立した。また，政治的反対者やユダヤ人を迫害し，ゲシュタポ（秘密警察）・親衛隊（SS）・突撃隊（SA）に民衆を厳しく監視させた。

ドイツは日本に続いて国際連盟を脱退。1934年，ヒトラーは首相兼大統領である総統（フューラー）に就任し，翌年には**再軍備宣言**を出した。

☕ ヴェルサイユ体制は崩壊し，ファシズムが台頭

イタリアの**ムッソリーニ**政権は，対外侵略によって経済危機を乗り切ろうと，1935年にエチオピアへ侵攻。翌年に全土を征服，併合した。国際的に孤立したイタリアはドイツに接近し，1937年には国際連盟から脱退した。

スペインでは1936年，労働者諸党派と共和主義左派による**人民戦線内閣**が成立すると，右派軍人の**フランコ**将軍が反乱を起こした。ドイツ・イタリアがこれを支援し，勝利したフランコは独裁政治体制を確立した。

☕ 北京郊外の発砲事件をきっかけに日中戦争が勃発

蔣介石の国民政府は，抗日闘争より共産党討伐に重点を置いた。共産党軍の全権を握った毛沢東は，1935年に八・一宣言を発表し，内戦停止と**抗日民族統一戦線**の結成を訴えた。その後，張学良の説得により，**第2次国共合作**が実現した。1937年7月，北京郊外で日中の軍事衝突が起こる（**盧溝橋事件**）。これをきっかけに日本と中国は**日中戦争**に突入した。

✎ ナチスの進出

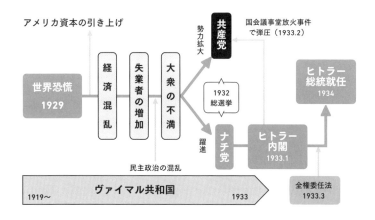

アメリカ資本の引き上げ

世界恐慌 1929 ― 経済混乱 ― 失業者の増加 ― 大衆の不満

勢力拡大 → 共産党 国会議事堂放火事件で弾圧（1933.2）

1932 総選挙

躍進 → ナチ党 ― ヒトラー内閣 1933.1 → ヒトラー総統就任 1934

全権委任法 1933.3

民主政治の混乱

ヴァイマル共和国 1919〜　　　　1933

🌐 1930年代の東アジアMAP

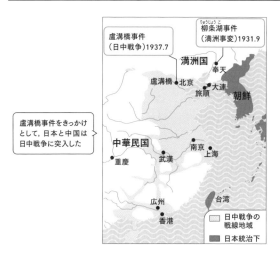

盧溝橋事件（日中戦争）1937.7

柳条湖事件（満洲事変）1931.9

満洲国　奉天

盧溝橋・北京　大連　旅順　朝鮮

盧溝橋事件をきっかけとして，日本と中国は日中戦争に突入した

中華民国　重慶　武漢　南京　上海

広州　香港　台湾

□ 日中戦争の戦線地域
■ 日本統治下

THEME 61　**POINT**

- ⌀ ドイツでは，ヒトラー率いるナチスが一党独裁体制を確立した。

- ⌀ スペインでは，人民戦線内閣とフランコとの間で内戦が起こった。

- ⌀ 盧溝橋事件をきっかけに，日中戦争が始まった。

CHAPTER 08

The Two
World Wars

THEME
62

Coffee Time
Discovery
WORLD HISTORY

各地で起きた戦争が
第二次世界大戦へと拡大

☕ ヨーロッパの戦争とアジアの戦争が連結し，世界大戦へ

　1938年，ヒトラーはドイツ民族の統合を口実にオーストリアを併合し，**ズデーテン地方**の割譲をチェコスロヴァキアに要求した。これに対し，イギリスの**ネヴィル=チェンバレン**首相は宥和政策をとった。その後，ドイツはチェコスロヴァキア解体を強行。1939年にはソ連と**独ソ不可侵条約**を結ぶ。

　1939年9月，ドイツは**ポーランド**に侵攻し，英・仏がドイツに宣戦。**第二次世界大戦**が勃発した。ソ連はドイツとともにポーランドを分割し，バルト3国を併合。フィンランドにも宣戦し，国際連盟から除名された。短期決戦をめざすドイツは1940年4月，デンマーク・ノルウェーに侵攻して両国を占領。5月には中立国のオランダ・ベルギーへ侵入し，6月にパリを占領する。ドイツ軍の優勢をみたイタリアも英・仏に宣戦した。フランスは降伏し，第三共和政は崩壊。**ド=ゴール**らがロンドンに亡命政府を組織し，フランス国内でも抵抗運動（レジスタンス）が起こった。ドイツがバルカン半島を制圧すると，不安を抱いたソ連は日本と**日ソ中立条約**を締結。1941年6月，ドイツは不可侵条約を破棄してソ連に侵攻し，**独ソ戦**が始まる。一方，日本は同年12月にハワイの**真珠湾**などを奇襲し，太平洋戦争が始まった。

☕ 枢軸国のドイツ・イタリア・日本が敗北する

　ドイツは1942〜43年の**スターリングラードの戦い**でソ連軍に大敗し，劣勢に陥る。連合軍がシチリア島に上陸するとムッソリーニは失脚し，イタリアは無条件降伏した。1944年6月，米英連合軍による**ノルマンディー上陸作戦**が決行され，パリは解放された。1945年5月，ベルリンが陥落し，ドイツは無条件降伏。ヨーロッパでの戦争は終結した。太平洋戦争では1942年の**ミッドウェー海戦**で日本軍が壊滅的打撃を受ける。1945年8月，広島・長崎に原子爆弾が投下され，日本は**ポツダム宣言**を受諾して無条件降伏した。

B.C. **0** A.D.　　　500　　　1000　　　1500　　　2000

🌐 第二次世界大戦のヨーロッパMAP

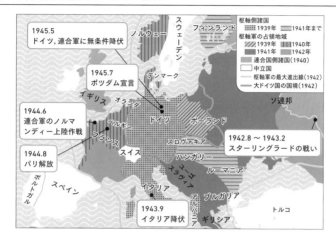

🌐 太平洋戦争の日本軍の動きMAP

THEME 62 **POINT**

⬤ ドイツのポーランド侵攻をきっかけに，第二次世界大戦が始まった。

⬤ 米英連合軍によるノルマンディー上陸作戦によって，パリは解放された。

⬤ 日本は1945年8月にポツダム宣言を受諾して無条件降伏した。

CHAPTER 08

The Two
World Wars

THEME
63

Coffee Time
Discovery
WORLD HISTORY

第二次世界大戦後，新しい平和構想から東西の対立へ

☕ かつての国際連盟の失敗を教訓に戦後の国際平和を構想

　第二次世界大戦中の1941年8月，米英両首脳の大西洋上会談で，戦後の平和構想を示す**大西洋憲章**が発表された。この方針に沿って，米・英・ソ・中が国際連合憲章草案を作成。1945年，連合国50か国によるサンフランシスコ会議で**国際連合憲章**が採択され，同年10月に**国際連合**が発足した。国際連合は，全加盟国で構成される**総会**，5大国（米・英・仏・ソ・中）を常任理事国とする**安全保障理事会**を中心とし，常任理事国には**拒否権**が認められている。また，国際通貨体制の確立と為替の安定を目的として国際通貨基金（IMF）が，戦後復興と発展途上国への融資を目的として国際復興開発銀行（IBRD）がそれぞれ創設された。1947年には国際的な自由貿易の維持・拡大を目的として，関税と貿易に関する一般協定（GATT）が成立した。

☕ 資本主義陣営と社会主義陣営が対立する冷戦期の到来

　戦争で大きな損害を受けた仏・伊などで共産主義が力を増し，米・英を中心とした資本主義陣営と，ソ連を中心とした社会主義（共産主義）陣営の対立が深まった。1947年3月，アメリカはギリシア・トルコの共産主義化防止のために経済・軍事援助を行う**トルーマン＝ドクトリン**を発表。6月には**マーシャル＝プラン**を発表し，ヨーロッパの経済復興のための援助を約束した。しかし，ソ連と東欧諸国はこれを拒否し，同年9月に**コミンフォルム**（共産党情報局）が組織された。1948年2月，チェコスロヴァキア＝クーデタで共産党政権が樹立され，危機感を持った西欧5か国は翌月に西ヨーロッパ連合条約を結び，防衛体制の強化を図った。さらに，占領下ドイツの西側管理地区で通貨改革が行われると，ソ連は対抗手段として**ベルリン封鎖**を行った。翌年に封鎖は解除されたが，西側管理地区には**ドイツ連邦共和国**（西ドイツ）が，ソ連の管理地区には**ドイツ民主共和国**（東ドイツ）が成立した。

B.C. 0 A.D.	500	1000	1500	2000

 ## 国際連盟と国際連合の比較

	国際連盟（League of Nations）	国際連合（United Nations）
期間	1920～1946	1945～
本部	ジュネーヴ（スイス）	ニューヨーク（アメリカ）
主要機関	総会，理事会（常任理事国と非常任理事国），事務局，常設国際司法裁判所，国際労働機関	総会，安全保障理事会（常任理事国と非常任理事国），事務局，経済社会理事会，国際司法裁判所，信託統治理事会
表決方法	全会一致	多数決
制裁措置	経済制裁（通商・金融・交通の関係断絶など）	経済制裁，安全保障理事会による軍事制裁
加盟国	原加盟国42か国（アメリカ不参加）	原加盟国51か国→193か国（2023年6月現在）

 ## ベルリンの4か国分割統治MAP

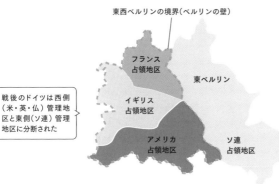

東西ベルリンの境界（ベルリンの壁）

フランス占領地区

東ベルリン

イギリス占領地区

アメリカ占領地区

ソ連占領地区

戦後のドイツは西側（米・英・仏）管理地区と東側（ソ連）管理地区に分断された

東ドイツに位置するベルリンは東側と西側の管理地区に分けられた。東ドイツ政府は西側への逃亡を防ぐためにベルリンの壁を建設した

THEME 63 **POINT**

- **1945年に国際連合憲章が採択され，国際連合が発足した。**
- **アメリカはトルーマン＝ドクトリンを発表し，社会主義陣営に対抗した。**
- **ソ連と東欧諸国はコミンフォルムを結成し，資本主義陣営に対抗した。**

| CHECK |

確　認　問　題

二つの世界大戦

The Two World Wars

第一次世界大戦が起こるきっかけとなった，
オーストリア帝位継承者夫妻の暗殺が起こった
都市は，次のうちどこ？

① サライェヴォ
② ベオグラード
③ モスクワ

ボリシェヴィキの指導者として
ロシア十月革命を推進し，
ソヴィエト政権を樹立したのは，次のうち誰？

① スターリン
② レーニン
③ トロツキー

03

「非暴力・不服従」を唱え，
インドの独立運動を指導した人物は
次のうち誰?

① ネルー

② ジンナー

③ ガンディー

04

ナチスを率いてドイツで独裁政治を行い，
第二次世界大戦を引き起こした人物は
次のうち誰?

① ヒトラー

② ムッソリーニ

③ フランコ

答え ▷ P.188

Coffee Time
Discovery

Σ WORLD HISTORY Ʒ

09

History of Modern Times

現代の歴史

7000000	10000	B.C. 0 A.D.		500	1000	1500	2000

第二次世界大戦後の国際社会では，
アメリカを中心とする西側諸国（資本主義陣営）と
ソ連を中心とする東側諸国（社会主義陣営）が対立し，
冷戦と呼ばれる緊張状態が続いた。
この時期に世界は何度も核戦争の危機に直面したが，
平和的な解決をめざして多くの対話も行われてきた。
この章を通して冷戦期の大まかな流れと各国・地域の歴史を学び，
現在の国際社会を捉えるための視座を手に入れたい。
1杯のコーヒーとともに，これからの世界の行方を考えてみよう。

CHAPTER 09

History of
Modern Times

THEME
64

Coffee Time
Discovery
WORLD HISTORY

冷戦の全体構造と流れ①

資本主義陣営と社会主義陣営の対立が拡大

　ソ連・東欧諸国・中国が共産主義圏を形成する中，アメリカ・イギリスによるソ連包囲網が構築されていった。1949年，西側諸国の集団安全保障体制である**北大西洋条約機構（NATO）**が成立。1954年には西ドイツの主権回復と再軍備が承認され，翌年，NATOに加盟した。これに対抗して，ソ連は軍事同盟である**ワルシャワ条約機構**を結成する。このように米ソ超大国を中心に資本主義陣営と社会主義陣営が対立を深めていった状況を**冷戦**と呼ぶ。

一時的な緊張緩和に向かった「雪どけ」の時期

　1953年に独裁者**スターリン**が死去し，ソ連では外交政策の見直しが始まった。1955年，米・英・仏との会談にソ連の首脳が出席し，4首脳によるジュネーヴ4巨頭会談が開かれた。1956年のソ連共産党第20回大会では，党第一書記であった**フルシチョフ**がスターリン批判を展開。自由化の方向と平和共存政策を発表し，コミンフォルムも解散した。こうした緊張緩和は「雪どけ」と呼ばれ，1959年にフルシチョフはソ連の指導者として初めてアメリカ合衆国を訪れた。一方，中国はソ連の平和共存政策を批判し，ソ連は中国への技術援助を停止。中ソ対立に発展し，1969年には両国の武力衝突が発生した（中ソ国境紛争）。

世界が核戦争の危機にさらされていた冷戦期

　冷戦期は核開発競争の時代でもあった。1945年にアメリカが初めて**原子爆弾**の実験を成功させると，1949年にはソ連も核兵器開発に成功。その後，イギリス・フランス・中国などがそれぞれ保有した。その一方で核軍縮の動きもあり，1968年には**核拡散防止条約（NPT）**が調印された。1987年の**中距離核戦力（INF）全廃条約**では，米・ソが初めて核兵器の削減に合意した。

```
B.C. 0 A.D.    500    1000    1500    2000
```

冷戦下のヨーロッパMAP

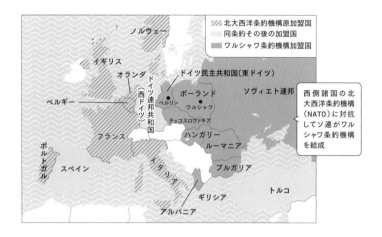

凡例:
- 北大西洋条約機構原加盟国
- 同条約その後の加盟国
- ワルシャワ条約機構加盟国

西側諸国の北大西洋条約機構（NATO）に対抗してソ連がワルシャワ条約機構を結成

ジュネーヴ4巨頭会談

米・英・仏との会談にソ連の首脳が出席し, 冷戦は一時的な緊張緩和へと向かう

ブルガーニン（ソ連）　アイゼンハワー（米）　フォール（仏）　イーデン（英）

THEME 64 **POINT**

- 西側諸国はソ連に対抗するために, 北大西洋条約機構（NATO）を結成した。
- 東側諸国は西側諸国に対抗するために, ワルシャワ条約機構を結成した。
- スターリンの死後, フルシチョフはスターリン批判を展開した。

CHAPTER 09

History of
Modern Times

THEME
65

Coffee Time
Discovery
WORLD HISTORY

冷戦の全体構造と流れ②

☕ アメリカ合衆国による経済の一極支配が崩壊

　1965年の北ベトナム爆撃にともなう**ベトナム戦争**の泥沼化により，アメリカの威信に陰りが出始める。一方，西ヨーロッパでは1952年に**ヨーロッパ石炭鉄鋼共同体（ECSC）**が発足。1967年には**ヨーロッパ共同体（EC）**に発展した。1971年，アメリカ大統領ニクソンはドル=金の交換停止を発表し，世界経済に衝撃を与えた（ドル=ショック）。ここから世界経済は，アメリカ一極支配からアメリカ・西ヨーロッパ・日本の3極構造に向かい始める。また，1973年の**第4次中東戦争**によるアラブ側の石油戦略は**石油危機**をもたらし，先進諸国の経済成長を減速させ，世界経済に深刻な影響を与えた。

☕ 東西の陣営に属さず，積極的中立を掲げた第三勢力

　戦後独立したアジア・アフリカ諸国の多くは，米ソ両陣営のいずれにも属さない**第三勢力**の形成をめざした。1954年，インド・中国両首脳によるネルー・周恩来会談が開かれ，外交上の原則である**平和五原則**がまとめられた。翌年には，アジア・アフリカ29か国の代表が参加する**アジア=アフリカ会議（バンドン会議）**が開催され，**平和十原則**へと発展。さらに1961年には，第三勢力の25か国が参加し，非同盟諸国首脳会議が開催された。

☕ アフガニスタン侵攻による「新冷戦」を経て，冷戦が終結

　1979年，ソ連は親ソ派政権の支援のために**アフガニスタン**に侵攻し，新冷戦とも呼ばれる80年代の米ソ対立をもたらした。核戦争の脅威が高まる中，1985年に共産党書記長となった**ゴルバチョフ**はソ連社会の改革をめざした。アメリカのレーガン政権はソ連の改革を歓迎し，米ソ間は和解路線へ転換。1989年にソ連はアフガニスタンから完全撤退した。同年，ゴルバチョフとアメリカ大統領ブッシュ（父）が**マルタ会談**で冷戦の終結を宣言した。

第1回アジア=アフリカ会議（バンドン会議）

アジア・アフリカ諸国の多くは東西陣営に属さない第三勢力の形成をめざした

 新冷戦から冷戦終結への流れ

年	主な出来事
1979	ソ連がアフガニスタンに軍事侵攻 ➡ 「新冷戦」へ （米ソの軍事費拡大）
1985	ゴルバチョフがソ連共産党書記長就任 ┗━➡「新思考外交」（軍縮を含む協調外交）➡ 米ソは和解路線へ
1987	中距離核戦力（INF）全廃条約 ➡ 米ソ間で核兵器の削減に合意
1989.2	ソ連がアフガニスタンから撤退完了
1989.11	ベルリンの壁開放
1989.12	米ソ首脳によるマルタ会談 ➡ 冷戦終結を宣言
1990.10	東西ドイツ統一
1991.7	ワルシャワ条約機構解散
1991.12	ソ連解体

THEME 65 **POINT**

● 第4次中東戦争のさい石油危機が起こり，世界経済は混乱した。

● 第三勢力によるアジア=アフリカ会議で，平和十原則が発表された。

● 1989年，米ソの首脳はマルタ会談で冷戦の終結を宣言した。

CHAPTER 09

History of
Modern Times

THEME

66

0
Coffee Time
Discovery
WORLD HISTORY

社会主義勢力との関係を
模索する冷戦期のアメリカ

🗍 国内外の問題と向き合った冷戦期のアメリカ大統領

　1953年からアメリカ大統領を務めた**アイゼンハワー**は，「巻き返し政策」
と呼ばれる対ソ強硬外交を展開した。その一方で，ソ連のフルシチョフと会
談するなど，緊張緩和の可能性も探った。43歳の若さで大統領に就任した
ケネディ大統領は，キューバをめぐるソ連との武力衝突を回避し，平和共存
に努める外交を推進。国内では様々な社会問題の解決をめざす**ニューフロン
ティア政策**を唱えたが，暗殺された。副大統領から昇格した**ジョンソン**大統
領は**ベトナム戦争**に本格的に介入し，1964年には人種差別を禁止する**公民
権法**を成立させた。次の**ニクソン**大統領は1972年，アメリカ大統領初の中
国訪問を実現。翌年には**ベトナム（パリ）和平協定**でベトナムから米軍を撤
退させた。1980年代になると**レーガン**大統領が国防強化・対ソ強硬姿勢を
主張するなど「強いアメリカ」の構築に努めた。

🗍 キューバをめぐる米ソ間の対立で，核戦争の危機が迫る！

　ラテンアメリカ諸国は戦後もアメリカの強い政治・経済的支配下に置かれ，
1948年には米州機構（OAS）が結成された。一方，アメリカ主導による南
北アメリカ諸国の反共協力組織に対する反発から，アルゼンチンではペロン
大統領が反米的・民族主義的な政策を行った。

　1959年，キューバでは革命家**カストロ**らが親米派であるバティスタ政権
を打倒した（**キューバ革命**）。1961年，アメリカがキューバと断交すると
キューバは社会主義宣言を発表しソ連に接近した。1962年，キューバにソ
連のミサイル基地が建設される。これに対し，アメリカ大統領ケネディは海
上封鎖を行い，核戦争勃発の危機が生まれた。この事件を**キューバ危機**とい
う。ソ連がミサイル撤去を約束して危機は去り，これを機に米ソ間にホット
ラインが設置された。以後，米ソは緊張緩和の方向に転じることになる。

| B.C. 0 A.D. | 500 | 1000 | 1500 | 2000 |

 冷戦期の主なアメリカ大統領のまとめ

大統領名	任期	出身政党	業績
ケネディ	1961～63 暗殺	民主党	1962年　キューバ危機
ジョンソン	1963～69	民主党	●ベトナム戦争に介入し，北爆開始 ●1964年　公民権法
ニクソン	1969～74 辞任	共和党	●ドル=ショック ●1972年　訪中し，中国承認
レーガン	1981～89	共和党	「双子の赤字」で財政赤字と貿易赤字が拡大
ブッシュ（父）	1989～93	共和党	1989年　ソ連のゴルバチョフとのマルタ会談で冷戦終結宣言

キューバ危機の流れ

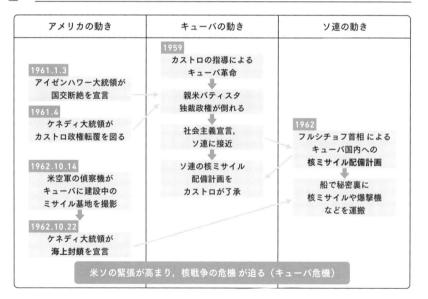

アメリカの動き	キューバの動き	ソ連の動き
	1959 カストロの指導による キューバ革命	
1961.1.3 アイゼンハワー大統領が 国交断絶を宣言	親米バティスタ 独裁政権が倒れる	
1961.4 ケネディ大統領が カストロ政権転覆を図る	社会主義宣言， ソ連に接近	**1962** フルシチョフ首相による キューバ国内への **核ミサイル配備計画**
1962.10.14 米空軍の偵察機が キューバに建設中の ミサイル基地を撮影	ソ連の核ミサイル 配備計画を カストロが了承	船で秘密裏に 核ミサイルや爆撃機 などを運搬
1962.10.22 ケネディ大統領が 海上封鎖を宣言		

米ソの緊張が高まり，核戦争の危機 が迫る（キューバ危機）

THEME 66 **POINT**

- ケネディはニューフロンティア政策を唱えたが，暗殺された。
- ジョンソン大統領は人種差別を禁止する公民権法を成立させた。
- キューバをめぐって米ソの緊張が高まり，核戦争の危機が生じた。

CHAPTER 09

History of
Modern Times

THEME
67

Coffee Time
Discovery

WORLD HISTORY

冷戦期の
イギリス・フランス・西ドイツの外交

労働党政権と保守党政権の間で政策が揺れ動くイギリス

戦後のイギリスでは，アトリー労働党内閣が重要産業を国有化し，「ゆり
かごから墓場まで」と呼ばれる社会福祉制度の充実を行った。また，1947
年にはインドの独立，1949年には**アイルランド共和国**の独立を承認した。
その後，イギリスはヨーロッパ経済共同体（EEC）に対抗して，1960年にヨー
ロッパ自由貿易連合（EFTA）を結成する。1979年，保守党の**サッチャー**が
イギリス初の女性首相となり，福祉の縮小による財政再建，国営企業の民営
化を断行。**フォークランド戦争**ではアルゼンチンに勝利した。

冷戦下で独自の外交を展開したフランス

フランスでは1946年に第四共和政が発足したが，インドシナ・アルジェ
リアなどの独立問題に対応できず，崩壊した。1958年，大統領に**ド=ゴー
ル**が就任し，大統領権限を著しく強化した第五共和国憲法を制定。**第五共和
政**を発足させた。1960年にフランスは世界で4番目の核保有国となり，
1964年には中国を国家承認。1966年には北大西洋条約機構（NATO）の軍
事機構から脱退するなど，米ソの間で独自路線を歩んだ。

東側諸国との関係改善へと向かった西ドイツ

戦後の西ドイツは，キリスト教民主同盟の**アデナウアー**政権下で「**経済の
奇跡**」と呼ばれる高い経済成長を実現する。外交面では，1954年にパリ協
定で主権を回復し，その翌年にはNATOに加盟。1958年にEECに加盟する
など，西側諸国の一員としての立場を築いた。1969年に首相に就任したド
イツ社会民主党の**ブラント**は東欧諸国との関係改善を図る「**東方外交**」を展
開した。その結果，1972年の東西ドイツ基本条約で東西ドイツの国交が回
復され，1973年には**東西ドイツの国連同時加盟**が実現した。

B.C. 0 A.D.	500	1000	1500	2000

✏️ ヨーロッパ統合への流れ（EEC・ECとEFTA）

1952
ヨーロッパ石炭鉄鋼共同体（ECSC）

1958
ヨーロッパ経済共同体（EEC）

1958
ヨーロッパ原子力共同体（EURATOM）

1967
ヨーロッパ共同体（EC）
- フランス
- イタリア
- 西ドイツ
- ベルギー
- オランダ
- ルクセンブルク

> EEC・ECSC・EURATOMを統合して発足し，徐々に加盟国が増えていく中で，1993年にはヨーロッパ連合（EU）へと発展した

1960
ヨーロッパ自由貿易連合（EFTA）
- イギリス
- ノルウェー
- スイス
- スウェーデン
- デンマーク
- オーストリア
- ポルトガル

> EECに対抗して結成されたが，徐々に加盟国がEECの後継組織にあたるECへ移っていった

THEME 67 **POINT**

- 🖉 **イギリスでは，保守党のサッチャーがイギリス史上初の女性首相に就任した。**
- 🖉 **フランスでは，ド゠ゴール大統領が第五共和政を発足させた。**
- 🖉 **西ドイツは，アデナウアー政権下で高い経済成長を実現した。**

CHAPTER 09

History of
Modern Times

THEME
68

Coffee Time
Discovery
WORLD HISTORY

崩壊へと向かう冷戦期のソ連

ソ連型の人民民主主義政権が成立していた東欧諸国

ソ連では1953年にスターリンが死去し，共産党第一書記となった**フルシチョフ**体制下で「雪どけ」と呼ばれる緊張緩和の時期に入った。フルシチョフによるスターリン批判は東欧諸国に衝撃を与え，社会主義政権を揺るがすことになる。ポーランドでは，1956年に反政府・反ソ暴動が勃発。共産党政府はソ連軍の介入を恐れ，自国による事態収拾に成功した。同年，ハンガリーのブダペストでも反社会主義・反ソ運動が拡大し，これにはソ連が軍事介入した。1968年には**チェコスロヴァキア**で民主化を求める運動が起こり，ドプチェク政権が誕生。民主化・自由化運動を推進した。これを「**プラハの春**」という。ソ連は他国への自由化波及を恐れ，チェコに軍事介入した。

東欧諸国は民主化へと向かい，ソ連は解体された

1985年，ソ連共産党書記長に**ゴルバチョフ**が就任し，**ペレストロイカ**（改革）・**グラスノスチ**（情報公開）・**新思考外交**をスローガンに掲げて大胆な改革に臨んだ。1986年にはウクライナ（当時はソ連領）の**チェルノブイリ**で史上最悪の原発事故が発生。この際，隠蔽と無責任体制が明らかになり，情報公開の必要性が広く求められた。また，1988年にソ連は新ベオグラード宣言で社会主義諸国に対するソ連の指導権を否定し，東欧社会主義圏の消滅へとつながった。1989年，東ドイツでは**ベルリンの壁**が開放され，東西ドイツ間の交通制限が解除される。翌年には，西ドイツが東ドイツを吸収合併する形で東西ドイツが統一し，**ドイツ連邦共和国**となった。

ソ連のゴルバチョフは，1989年末にアメリカ大統領ブッシュ（父）と地中海のマルタ島沖で会談を行い，冷戦終結を宣言。1991年，**エリツィン**を大統領とするロシア連邦が成立。旧ソ連内の11共和国からなる**独立国家共同体（CIS）**が結成されることでソ連は消滅した。

| B.C. 0 A.D. | 500 | 1000 | 1500 | 2000 |

⊕ ベルリンの壁の崩壊

東欧各国で民主化が進み、ドイツでは東西分断の象徴であったベルリンの壁が開放された

⊕ ソ連の解体によって形成された独立国家共同体MAP

旧ソ連を構成していた11共和国が参加して独立国家共同体が創設された

□ 独立国家共同体(CIS)加盟国
※トルクメニスタンは準加盟国

ロシア連邦(飛地)、エストニア、リトアニア、ラトヴィア、モルドヴァ、ベラルーシ、ウクライナ、アルメニア、グルジア(ジョージア)、ロシア連邦、アゼルバイジャン、トルクメニスタン、カザフスタン、ウズベキスタン、タジキスタン、キルギス

THEME 68 **POINT**

- チェコスロバキアでは,「プラハの春」と呼ばれる民主化運動が推進された。
- ソ連のゴルバチョフは「ペレストロイカ」と呼ばれる改革を進めた。
- 1989年にベルリンの壁が開放され, 翌年東西ドイツが統一された。

CHAPTER 09

History of
Modern Times

THEME
69

♂
Coffee Time
Discovery
WORLD HISTORY

各地で解放闘争が起こった
戦後のアフリカ

🗒 アフリカ諸国が次々と独立を果たす

北アフリカでは，1951年にリビアが，1956年には**スーダン・モロッコ・チュニジア**が独立した。アルジェリアでは1954年に**民族解放戦線（FLN）**が結成され，フランスとの間で**アルジェリア戦争**が起こるが，1962年に独立が承認された。サハラ以南では，1957年に**ガーナ**が独立した。このときのガーナの指導者は**エンクルマ（ンクルマ）**で，ガーナは最初の自力独立の黒人共和国となった。1958年にはギニアが独立し，セク゠トゥーレが初代大統領となった。1960年にアフリカで一挙に17か国が独立したので，この年は「**アフリカの年**」といわれる。1963年にはアフリカ30か国の首脳が参加してアフリカ諸国首脳会議を開催し，**アフリカ統一機構（OAU）**が結成された。OAUは，「アフリカは一つ」をスローガンにアフリカの諸問題について議論し，「アフリカの国連」と呼ばれた。

🗒 「アフリカの年」以降も解放闘争は続く

コンゴは1960年にコンゴ共和国として旧宗主国のベルギーから独立したが，直後から内乱が発生し，初代首相ルムンバも殺害された（**コンゴ動乱**）。鉱物資源の豊富なカタンガ州の分離独立をベルギーが支援したことがその原因であった。1965年，モブツがクーデタで大統領に就任し，動乱は終わった。1975年にはポルトガルの植民地であったアンゴラ・モザンビークが独立。旧イギリス植民地のローデシアでは，黒人による解放闘争の結果，1980年に白人政権が倒れた。代わって黒人政権が誕生し，国名をジンバブエとした。**南アフリカ共和国**では，1991年にデクラーク政権が**アパルトヘイト**（人種隔離政策）を全廃し，94年には**アフリカ民族会議（ANC）**の指導者**マンデラ**が大統領に就任した。ルワンダでは，ツチ人が結成したルワンダ愛国戦線とフツ人中心のルワンダ政府の内戦が発生した（**ルワンダ内戦**）。

B.C. 0 A.D.　　500　　1000　　1500　　2000

🌐 アフリカ諸国の独立MAP

17か国が独立した1960年は「アフリカの年」と呼ばれる

■ 第二次世界大戦前の独立国
■ 1946～59年の独立国
□ 1960年の独立国
□ 1961年以降の独立国

🌐 反アパルトヘイト運動

南アフリカ共和国では白人が非白人を差別・隔離するアパルトヘイト政策が行われていた

THEME 69　POINT

- 1960年はアフリカで17か国が独立し，「アフリカの年」と呼ばれた。
- 南アフリカではアパルトヘイトが廃止され，マンデラが大統領に就任した。
- ルワンダでは，ツチ人とフツ人の争いから内戦が発生した。

CHAPTER 09

History of
Modern Times

THEME
70

Coffee Time
Discovery
WORLD HISTORY

現在まで続くパレスチナ問題

☕ かつてのイギリス外交の矛盾が対立を引き起こした

イギリスによるパレスチナ委任統治の終了にあたり，パレスチナをユダヤ・アラブの両国家に分割するパレスチナ分割案が1947年の国連総会で決議された。ユダヤ人は翌年に**イスラエル**の建国を宣言するが，これを認めないアラブ諸国との間で**パレスチナ戦争（第1次中東戦争）**が起きた。勝利したイスラエルが分割案を上回る領土を獲得する一方，100万人ものアラブ人が故郷を追われ**パレスチナ難民**となった。エジプトでは1952年，自由将校団のクーデタでエジプト革命が起こり，エジプト共和国が成立。**ナセル**大統領は1956年に**スエズ運河国有化**を宣言するが，これに対しイギリス・フランスがイスラエルと共同出兵し，**スエズ戦争（第2次中東戦争）**が起こった。

☕ イスラエルとパレスチナの間で繰り返される武力衝突

1964年，イスラエルに奪われた土地と権利回復のため，パレスチナ難民（パレスチナ人）によって**パレスチナ解放機構（PLO）**が設立され，議長にアラファトが就任した。PLOはイスラエルに対し，ゲリラ闘争を展開した。1967年，イスラエルがエジプト・シリア・ヨルダンを攻撃する**第3次中東戦争**が勃発。イスラエルはヨルダン川西岸・シナイ半島・ガザ地区・ゴラン高原を占領した。1973年には，エジプト・シリアがイスラエルを攻撃する**第4次中東戦争**が起こる。このときアラブ石油輸出国機構（OAPEC）は石油戦略を発動し，第1次**石油危機**を引き起こした。

エジプトの**サダト**大統領はイスラエルと和解し，1979年，エジプト＝イスラエル平和条約を締結した。1993年，PLOのアラファト議長とイスラエルのラビン首相が**パレスチナ暫定自治協定（オスロ合意）**に調印。これにもとづき，ガザ地区とヨルダン川西岸のイェリコでパレスチナ暫定自治政府による先行自治が開始された。しかし，その後も武力衝突は続くことになる。

B.C. 0 A.D.	500	1000	1500		2000

 ## 分割案と現在のパレスチナMAP

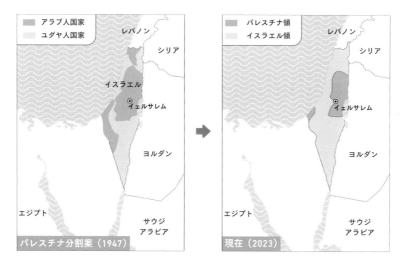

凡例：
- アラブ人国家
- ユダヤ人国家

レバノン／シリア／イスラエル／イェルサレム／ヨルダン／エジプト／サウジアラビア

パレスチナ分割案（1947）

凡例：
- パレスチナ領
- イスラエル領

レバノン／シリア／イェルサレム／ヨルダン／エジプト／サウジアラビア

現在（2023）

 ## パレスチナ暫定自治協定（オスロ合意）

アメリカ大統領クリントンの仲介により，イスラエルとPLOが協定に調印した

THEME 70 **POINT**

- イスラエルが建国されると，パレスチナ戦争が起こった。
- エジプトがスエズ運河国有化を宣言すると，スエズ戦争が起こった。
- イスラエルとPLOはパレスチナ暫定自治協定（オスロ合意）に調印した。

CHAPTER 09

History of
Modern Times

THEME
71

Coffee Time
Discovery
WORLD HISTORY

東西両陣営が介入した，戦後のベトナム

宗教の違いを背景として分離独立が生じた

インドでは，統一インドを主張する**ガンディー**と，イスラーム国家の分離独立を求める**全インド=ムスリム連盟**の指導者ジンナーが対立。1947年，ヒンドゥー教徒を主体とするインド連邦と，イスラーム教徒を主体とする**パキスタン**の2国に分かれて独立した。1948年にガンディーは暗殺され，1950年にはカースト制による差別の禁止などを定めた憲法を発布し，**インド共和国**が成立する。初代首相には**ネルー**が就任した。スリランカ（セイロン）は1948年にイギリス連邦内の自治領として独立。また，1971年には東パキスタンがインドの支援を受けて独立し，バングラデシュが成立した。

インドシナの社会主義勢力の拡大阻止に動いたアメリカ

ベトナムではホー=チ=ミンの指導でベトナム独立同盟会が結成されており，終戦直後の1945年にハノイで**ベトナム民主共和国**の独立が宣言された。これをフランスは認めず，1946年に**インドシナ戦争**が起こった。フランスは南部にベトナム国を発足させ交戦を続けたが，1954年のディエンビエンフーの戦いで大敗。**ジュネーヴ休戦協定**を結んでインドシナから撤退した。

しかし，東南アジアの共産化を防ぎたいアメリカは1955年にゴ=ディン=ジエム政権を支援し，南部にベトナム共和国が樹立した。政権が独裁体制を強める中，1960年に**南ベトナム解放民族戦線**が結成され，北ベトナムと結んでゲリラ戦を展開した。1965年，アメリカは北ベトナムへの爆撃（北爆）を開始し，**ベトナム戦争**が本格化した。北ベトナムはソ連・中国の援助を受け，戦局は泥沼化。国内外で反戦や非難の声が上がった。1973年，アメリカは**ベトナム（パリ）和平協定**を結んで撤退した。1975年に，北ベトナム軍と民族解放戦線は南ベトナムの首都サイゴン（現ホーチミン）を占領。ベトナムは統一され，1976年に**ベトナム社会主義共和国**が成立した。

B.C. **0** A.D.　　500　　　1000　　　1500　　　2000

✎ ベトナム戦争の構図

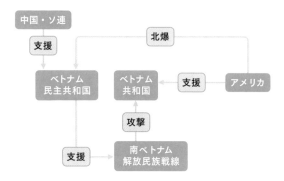

🌐 ベトナム戦争MAP

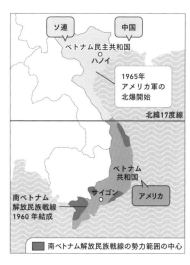

東南アジアの共産化を阻止したいアメリカは南ベトナムを支援し,北ベトナムを爆撃した

■ 南ベトナム解放民族戦線の勢力範囲の中心

THEME 71　**POINT**

◍ **1947年,ヒンドゥー教徒を主体とするインド連邦が成立した。**

◍ **1947年,イスラーム教徒を主体とするパキスタンが成立した。**

◍ **1965年,アメリカは北ベトナムへの爆撃を開始し,ベトナム戦争が本格化した。**

CHAPTER 09

History of
Modern Times

THEME

72

0
Coffee Time
Discovery

WORLD HISTORY

日本とも関係改善を進めた，
戦後の中国・韓国

共産党の北京政府が国際社会で地位を確立

中国では第二次世界大戦後，国民党と共産党の内戦が再開される。共産党の指導者**毛沢東**は土地改革を実行して農民の支持を得た。1949年，**中華人民共和国**の樹立が宣言され，国家主席に毛沢東が，首相に周恩来が選ばれた。翌年に中国は中ソ友好同盟相互援助条約に調印し，社会主義圏に属することを示した。一方，国民党の**蔣介石**は台湾に逃れ，**中華民国**政府を維持した。

1958年，毛沢東は工業・農業の急激な発展をめざすが大失敗に終わる。代わって国家主席に**劉少奇**が就任し，**鄧小平**との体制で混乱収拾を進めた。毛沢東は，資本主義復活を図る実権派（走資派）として彼らを批判。1966年から**プロレタリア文化大革命**を推進する。しかし，毛沢東の死後，鄧小平が指導者として復活。農業・工業・国防・科学技術の「**四つの現代化**」政策に取り組み，1978年には日本と**日中平和友好条約**を締結した。

南北に分断された朝鮮半島

朝鮮半島では，**北緯38度線**を境に北をソ連軍，南をアメリカ軍が占領し，1948年に南北が分立した。南部では**李承晩**を大統領に**大韓民国（韓国）**が，北部では**金日成**を首相に**朝鮮民主主義人民共和国（北朝鮮）**が建国された。1950年には北朝鮮軍が38度線を越えて韓国に侵攻し，**朝鮮戦争**が勃発した。米軍主体の国連軍が北朝鮮軍を追い詰めるが，中国の人民義勇軍が北朝鮮側で参戦し，戦況は膠着。1953年，**朝鮮休戦協定**が成立し，南北分断が固定化した。

大韓民国では1961年の軍部によるクーデタで**朴正煕**が権力を掌握。1965年には日本と**日韓基本条約**を結び，関係を強めた。その後も軍部が実権を握ったが，1987年に直接選挙で選ばれた盧泰愚大統領は民主化と南北対話を進め，1991年には南北朝鮮が国連同時加盟を果たした。

🌐 プロレタリア文化大革命

毛沢東が大衆運動を
利用して行った政治
闘争であったが，
中国全土が混乱して
多くの犠牲者が出た

🌐 朝鮮戦争MAP

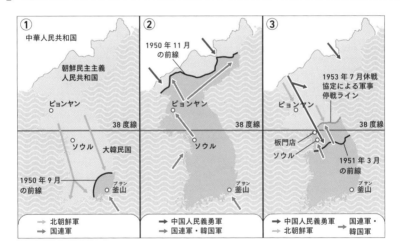

①
中華人民共和国
朝鮮民主主義
人民共和国
ピョンヤン
38度線
ソウル　大韓民国
1950年9月
の前線
プサン
釜山

→ 北朝鮮軍
→ 国連軍

②
1950年11月
の前線
ピョンヤン
38度線
ソウル
プサン
釜山

→ 中国人民義勇軍
→ 国連軍・韓国軍

③
1953年7月休戦
協定による軍事
停戦ライン
ピョンヤン
38度線
板門店
ソウル
1951年3月
の前線
プサン
釜山

→ 中国人民義勇軍　国連軍・
→ 北朝鮮軍　　　　韓国軍

[THEME 72] **POINT**

◉ **1949年，毛沢東を指導者として，中華人民共和国が建国された。**

◉ **毛沢東はプロレタリア文化大革命を推進した。**

◉ **朝鮮半島の南部には，李承晩を大統領とする大韓民国が建国された。**

01

1949年にアメリカを中心とする西側諸国が
ソ連を中心とする東側諸国に対抗するために
結成した集団安全保障体制は，次のうちどれ?

① ワルシャワ条約機構

② ヨーロッパ連合

③ 北大西洋条約機構

02

1985年にソ連共産党書記長に就任し，
ペレストロイカと呼ばれる改革を進めたのは，
次のうち誰?

① ゴルバチョフ

② フルシチョフ

③ エリツィン

03

1959年のキューバ革命を指導したのは，
次のうち誰?

① ナセル
② カストロ
③ ネルー

04

1966年に中国でプロレタリア文化大革命を
推進したのは，次のうち誰?

① 鄧小平
　とうしょうへい
② 劉少奇
　りゅうしょうき
③ 毛沢東
　もうたくとう

答え ▷ P.188

| C H E C K |
確 認 問 題 の 答 え

CHAPTER 01 先史時代と古代文明 *p.32*
    01 ②   *02* ③   *03* ②   *04* ①

CHAPTER 02 東アジア世界の歴史 *p.52*
    01 ②   *02* ②   *03* ③   *04* ③

CHAPTER 03 イスラーム世界の歴史 *p.64*
    01 ①   *02* ③   *03* ①   *04* ①

CHAPTER 04 中世ヨーロッパの歴史 *p.78*
    01 ②   *02* ①   *03* ②   *04* ①

CHAPTER 05 近代社会の形成と革命の時代 *p.106*
    01 ②   *02* ②   *03* ①   *04* ①

CHAPTER 06 19世紀のヨーロッパとアメリカ *p.120*
    01 ②   *02* ③   *03* ①   *04* ③

CHAPTER 07 帝国主義と民族運動 *p.140*
    01 ②   *02* ①   *03* ①   *04* ②

CHAPTER 08 二つの世界大戦 *p.164*
    01 ①   *02* ②   *03* ③   *04* ①

CHAPTER 09 現代の歴史 *p.186*
    01 ③   *02* ①   *03* ②   *04* ③

監修者プロフィール

市 川 賢 司
Kenji Ichikawa

アレセイア湘南高校で世界史の授業を担当。
「原因」と「結果」を重視する
構造的理解をめざした世界史の授業は
「わかりやすい!」と定評がある。
歴史能力検定1級,世界遺産検定マイスター取得。
著書に,『世界史トータルナビ INPUT&OUTPUT800』
『世界史単語の10秒暗記 ENGRAM2250』
『最速で覚える世界史用語』
(いずれもGakken)がある。

コーヒー1杯分の時間で読む
「教養」世界史

STAFF

監修
市川賢司

執筆・編集協力
黒川悠輔　佐野秀好

編集協力
高木直子　Joseph Tabolt

装幀
新井大輔　八木麻祐子
（装幀新井）

イラスト
髙栁浩太郎

企画編集
八巻明日香

データ作成
株式会社四国写研

*「くりかえす，ふたたび，〜し続ける」を意味する接頭語「re-」より。

「人生100年時代」が叫ばれる現代，より豊かな人生を切り拓くためには「学び」が
カギになります。大人になった今こそ，自由に学びたい ── そんな想いに寄り添い，
好奇心をちょっぴり刺激する「大人の学び」を届けるシリーズです。

読者アンケートご協力のお願い

▼ WEBからご応募できます!

アンケート番号

406938

ご協力いただいた方のなかから抽選で
ギフト券（500円分）をプレゼントさせていただきます。

*アンケートは予告なく終了する場合がございます。あらかじめご了承ください。

①